Pierre-Marie Beaude

Jeremy Cheval

Illustrations
de Gianni De Conno

GALLIMARD JEUNESSE

Pour Rollon

Chapitre 1

Chaque matin, à peine réveillé, Jeremy se demandait bien ce que Flamme allait encore inventer pour lui gâcher sa journée. Depuis que monsieur Norton lui avait fait cadeau de ce maudit cheval, il n'avait que des ennuis. Un animal superbe, cet apaloosa. Port de tête majestueux, crinière longue et soyeuse, robe blanc et feu. Le caractère aussi était de feu ! Jeremy était à peu près le seul être humain à pouvoir l'approcher, mais ce n'était pas sans risques. Quand il passait l'étrille, le cheval se débrouillait pour le coincer contre les palissades de l'enclos. Une seule solution pour ne pas finir étouffé : se faufiler sous le ventre, entre les pattes. Et si Jeremy passait à côté de l'abreuvoir, ou quand il apportait du foin, il devait encore veiller à ne pas prendre un coup de dent, ou un violent coup de tête. C'était déjà arrivé. Il s'était relevé tout estourbi, sous le regard narquois de l'apaloosa. Ce pétillement d'intelligence dans l'œil de l'animal avait étonné Jeremy. Ce cheval riait et rusait comme un homme.

Personne, bien entendu, n'avait réussi à le maîtriser. Monsieur Norton, qui ne comptait plus ses victoires dans les rodéos du grand Ouest, n'avait pas tenu plus de dix secondes sur son dos. Les fermiers des ranchs voisins étaient venus observer le phénomène.

– Attends voir, disaient-ils à tour de rôle. Je m'en vais lui apprendre les manières.

– C'est tout vu, répliquait Norton. Tu ne tiendras pas vingt secondes. Le temps que j'allume ma pipe, et hop ! il t'aura mis les fesses en compote !

On pariait une paire de bottes, un ceinturon. Norton ne sut bientôt plus quoi faire des bottes et des ceinturons. Un à un, les fermiers s'étaient retrouvés dans la poussière, le dos tout démantibulé. Ils ramassaient leur chapeau, le frottaient du plat de la main :

– Cette bête-là, tu n'en tireras rien, Norton. C'est un cheval d'Indien.

D'autres disaient :

– Cette carne ne vaut pas l'herbe qu'elle mange. Qui t'a vendu pareil démon ?

Comment Flamme était arrivé à la ferme, c'était toute une histoire. Tout avait commencé au saloon de Redstone où Norton se rendait les samedis soir pour son habituelle partie de poker. C'était un joueur remarquable, qui masquait ses sentiments derrière un regard froid comme celui d'un serpent. Il perdait rarement. Un métis nommé Chien jaune vint un soir s'installer à sa table, l'esprit tout embrumé par l'alcool. Il perdit un gros paquet de dollars, qui lui venait, disait-il, de la vente d'une belle pouliche apaloosa. Quand il n'eut plus d'argent, Norton le chassa. Chien jaune sortit dans la nuit, mais rentra un peu plus tard dans le saloon en tirant un cheval par la bride. On l'aurait normalement chassé sans manières, mais le cheval démontrait une telle majesté que tout le monde resta coi. Chien jaune et le cheval passèrent entre les tables, s'arrêtèrent au bar où le métis demanda un whisky pour lui et un seau d'eau bien fraîche pour son cheval. Chien jaune lui murmura quelque chose à l'oreille, et le cheval hennit d'une si drôle de manière qu'on aurait cru l'entendre rire.

– Des histoires qu'on se raconte entre nous, dit mystérieusement Chien jaune.

De sa voix d'ivrogne, il lui ordonna de lever la patte avant droite, puis la gauche, et l'apaloosa obéit aussitôt. Le métis amusa un bon bout de temps les clients du saloon avec ce cheval si drôle, dont le regard brillait comme celui d'un homme. Ensuite, il revint à la table de jeu et dit qu'il misait l'animal. Norton accepta et lui servit, en guise de bienvenue, une solide rasade de whisky. Au premier tour, Chien jaune joua les pattes avant, au second tour les pattes arrière, ensuite la tête. Quelques verres d'alcool plus tard, le bel apaloosa était devenu la propriété de Norton.

– Apporte-le-moi à la ferme, dit-il à Chien jaune en lui tendant un demi-dollar.

Le métis utilisa la pièce pour étancher sa soif, puis il conduisit le cheval à la ferme Norton.

Flamme était un splendide étalon, d'allure noble et racée, et Norton s'endormit ce soir-là avec la certitude d'avoir fait l'affaire de sa vie. Toute la nuit, il se vit en rêve sur un cheval qui obéissait au plus petit coup d'éperon, trottait, galopait comme l'exigeait son cavalier. Mais le lendemain matin, quand il décida de le monter, ce fut une autre affaire. L'apaloosa voulut bien accepter la selle, mais pas le cavalier. Norton fit un grand vol plané et mordit la poussière. Dans sa colère, il fit l'erreur de vouloir le corriger à coups de fouet, ce qui rendit la bête furieuse. Les naseaux fumaient, les yeux lançaient en malédiction toutes les flammes de l'enfer. Jeremy et Cabosse, le commis de la ferme, assistaient à la scène. Plus le patron corrigeait l'animal, plus celui-ci se rebellait. La poussière tourbillonnait, les planches de l'enclos éclataient sous les furieux coups de sabot, le fouet sifflait comme un serpent qui va donner la mort. L'apaloosa écumait, le visage de Norton était blême. Jamais un cheval ne lui avait résisté de cette manière.

Il le prit au lasso et demanda à Cabosse et à Jeremy de serrer jusqu'à ce que la bête, asphyxiée, plie les genoux. Il l'enfourcha facilement ; mais l'étreinte du lasso à peine desserrée, l'apaloosa se lança dans une danse de damné qui envoya une seconde fois le cavalier dans la poussière. Norton se releva la bouche en sang. On le vit mettre la main à son colt, et Jeremy crut bien qu'il allait tirer. Mais Norton s'était ravisé. Il tendit son fouet d'un air menaçant.

– Toi, gronda-t-il, tu ne perds rien pour attendre. Tu te souviendras de mes caresses, tu entends ?

L'apaloosa releva superbement la tête. On eût dit deux cow-boys en train de se défier sur la place de Redstone.

Norton ne remonta jamais sur le cheval. Il eut beau changer de tactique, lui donner du foin à profusion, chercher à le gagner par la flatterie, rien n'y fit. L'apaloosa hennissait mauvaisement, et les flammes de ses yeux avertissaient le patron de la ferme du sort qu'il lui réservait. Norton jurait ses grands dieux qu'il finirait bien par le dresser, mais il ne faisait rien. On soupçonnait qu'il parlait fort pour mieux cacher sa peur. Dans son fond, il avait déjà capitulé.

Quand Lisbeth, la fille des fermiers voisins, venait se promener dans le coin, Jeremy s'amusait à prendre de jeunes taureaux au lasso et à les monter en s'agrippant à leur encolure. Il tenait vingt ou trente secondes, puis se rétablissait avec agilité au sol avant que le taurillon ne l'éjecte. Il faisait tout cela en cachette de Norton qui n'aimait pas qu'on s'amuse avec les jeunes bêtes.

Un jour, Jeremy se fit surprendre. Il se dit que son compte était bon, mais le fermier se fit tout sourire :

– Bravo, Jeremy, tu t'y prends très
bien. Je vais te faire un cadeau, et
même un grand cadeau : je te donne
l'apaloosa. Il est à toi. Mais atten-
tion, pas de faiblesse ! Tu as trois mois pour le faire
marcher droit.

Il y avait trop de douceur dans la voix pour que
Jeremy ne soupçonne pas le piège. Le cadeau était
très intéressé. Norton lui demandait de réussir là où
il avait échoué. C'était tout bénéfice pour lui. Car si
Jeremy réussissait à dompter Flamme, Norton le lui
reprendrait. Et s'il échouait, il serait puni, privé de
nourriture ; ce serait tout bénéfice pour ce vieil
avare de fermier.

Mais une raison secrète poussait Norton à agir de
la sorte. Il avait bien vu comment Chien jaune, le
métis, savait s'y prendre avec l'apaloosa. Or Jeremy
était un métis lui aussi. Et même plus qu'un métis, un
Indien pur sang, très certainement. Car Jeremy était
un enfant trouvé. « Un fils de personne », comme on
disait derrière son dos. Il avait été abandonné sur les
marches de l'église baptiste de Redstone, enveloppé
dans un bout de couverture déchirée dont le tissage
désignait sans équivoque les Indiens qui vivaient de
l'autre côté des collines. Il n'avait pas trois mois.

C'est la femme du pasteur, le révérend Moriarty,
qui le trouva. Il avait ouvert des yeux noirs si

empreints de tristesse qu'elle y avait vu le reflet de toute la misère du monde. Une femme indienne avait abandonné son enfant. On ne saurait jamais pourquoi. Peut-être que si elle avait su écrire, elle aurait glissé un mot dans le bout de couverture pour expliquer son geste : « Je suis pauvre, je ne peux pas le nourrir. » Ou bien encore : « Je suis malade, je vais mourir, sauvez mon enfant. » Mais sans explications, l'enfant avait été exposé sur les marches de l'église, offert à qui voudrait bien le prendre, aux bandits de toute espèce qui auraient très bien pu s'en emparer pour en faire un petit esclave. Heureusement, la chose s'était produite un dimanche, jour où madame Moriarty précédait son mari pour ouvrir l'église et préparer l'office.

Quand le révérend Moriarty était arrivé à son tour, elle lui avait mis l'enfant dans les bras, lui signifiant qu'il avait un sujet tout trouvé pour son prêche ; il n'y avait pas à chercher l'inspiration ailleurs. Et le pasteur avait obéi à sa femme. Il avait commenté le passage des saints Évangiles qui disait : « Laissez venir à moi les petits enfants. » Madame Moriarty se tenait bien droite au côté de son mari, berçant le bambin qui s'était mis à pleurer. Le sermon à peine terminé, madame Norton avait brus-

quement quitté sa place et l'avait pris
d'autorité dans les bras de la femme
du pasteur :
– Donnez-le-moi, cet enfant-là a
besoin d'une vraie mère.

Elle avait passé la fin de l'office au fond de
l'église, à bercer l'enfant qui pleurait de plus belle.
Il n'avait pas cessé sur tout le chemin du retour.

– Cesse donc tes jérémiades, veux-tu, disait-elle en
essayant de le cajoler.

De cette première journée de pleurs, l'enfant tira
son nom : Jeremy. Ce ne fut qu'au soir du deuxième
jour que madame Norton réussit à le calmer. Elle
n'avait jamais pu avoir d'enfant, et la venue de ce
bambin dans sa maison la comblait. Quant à son
mari, il n'eut rien à dire. Elle était bien la seule personne capable de lui imposer sa volonté. C'était
une femme douce et tendre, mais derrière l'air naïf
que lui donnaient ses cheveux roux et son visage
parsemé de taches de rousseur se cachait un solide
tempérament. Elle tenait sa farouche volonté de ses
ancêtres irlandais, les Callan, débarqués dans le
Nouveau Monde à cause de la terrible famine qui
s'était abattue sur l'Irlande. Ils avaient traversé
l'océan sur des bateaux surchargés d'émigrants et
risqué mille fois leur vie pour venir s'installer dans
ces terres reculées du grand Ouest.

Jeremy connut des jours très heureux grâce à sa nouvelle mère. Malheureusement, il ne la connut pas longtemps, car elle fut emportée par la fièvre mortelle qui, cette année-là, fit sa moisson de vivants dans les fermes de l'Idaho, du Wyoming et du Montana.

Jeremy avait sept ans. Il conserva d'elle le souvenir des grands baquets d'eau parfumée où elle le plongeait nu comme un ver quand il rentrait de ses flâneries à la recherche des papillons et des criquets de la prairie. Elle l'enfouissait dans des serviettes soyeuses et belles comme un drapeau américain et lui frottait la peau si fort qu'il sentait fourmiller partout la chaleur. Elle lui faisait des tartes aux myrtilles et aux fraises, et toutes sortes de bonnes choses qu'il devait avaler sous peine de se faire gronder, même quand il n'avait plus faim. Elle se montrait attentive, inquiète. Elle disait : « Un enfant bien portant doit manger tout ce qu'on lui donne », « On ne doit rien laisser dans son assiette, la nourriture est une chose difficile à gagner », et toutes sortes d'autres phrases qui faisaient aux oreilles de l'enfant les couplets d'une unique chanson.

Madame Norton disparue, la vie continua à la ferme, beaucoup plus austère, sous les ordres de son mari qui avait ravalé son chagrin très loin en lui-

même, et ne montrait plus aux
humains que cette face grisailleuse
qu'aucun soleil ne semblait capable
d'éclairer.

Norton laissa grandir Jeremy sans vraiment s'en occuper. Des ordres, des interdictions et des mises en garde, pour ça oui, il en pleuvait comme les trombes d'eau au passage des tornades. A part ça, rien : aucun conseil, aucun encouragement comme il en faut pour faire une éducation.

Jeremy grandit à l'ombre de Cabosse, le commis. Tout petit, il en avait très peur à cause de son crâne défoncé qui lui déformait le visage, et tirait affreusement son œil droit vers l'oreille. Avec ça, un bel échantillon de cicatrices, du menton à la racine des cheveux, en bourrelets, en étoile, bref, une « face de carnaval », comme disait Norton quand il voulait blesser son commis. Il s'appelait Lennox, mais depuis ce jour maudit où un cheval furieux avait décidé de lui refaire le portrait avec un sabot en guise de pinceau, ce fut Cabosse pour tout le monde.

Cabosse n'était pas un bavard. Il prononçait rarement plus d'une phrase à la suite. En revanche, il possédait une jolie collection de grognements qui, dans sa langue singulière, exprimaient tout ce qu'un homme à qui un cheval idiot avait retaillé la figure estimait devoir être dit sur la bonté du monde. C'est lui qui s'occupa de l'enfant. Il le vêtit, le nourrit. Il lui apprit à monter à cheval, à surveiller les bêtes, à les prendre au lasso, à flairer la venue des orages ou celle de prédateurs, toujours prêts à affoler le bétail.

C'est Lisbeth, la fille des fermiers voisins, qui sema l'inquiétude dans la tête de Jeremy. C'était peu de temps avant que madame Norton ne meure de sa fièvre. Jeremy jouait avec Lisbeth ; il s'était réservé le rôle du cow-boy et voulait qu'elle joue celui d'une Indienne qu'il faisait prisonnière. Elle se rebella.

– C'est toi qui es l'Indien, dit-elle d'une voix griffue. Jeremy Norton est le fils de personne.

Quand Lisbeth fut partie, il alla se pencher sur la mare pour regarder son visage, découvrit ses cheveux noirs, sa peau cuivrée. Il se faufila dans la chambre de madame Norton pour se regarder dans la glace. Elle reflétait plus crûment encore ce que la mare lui avait révélé. Sa peau, sa tignasse — il n'y avait jamais songé — ne ressemblaient pas à celles de ses parents. Madame Norton portait sur le visage des taches de rousseur en aussi grand nombre que les cicatrices de Cabosse. Et Norton, lui, était un grand pâle aux yeux verts. Jeremy se

sentit tout désorienté par cette
découverte. Il ne comprenait pas
pourquoi il n'avait pas remarqué ces
choses-là avant. Alors, il se ren-
ferma, fuyant le regard de ses « parents » comme s'il
redoutait qu'ils ne devinent son secret, toutes ces
choses qu'il retournait en lui. Il commença à les
haïr. Il allait se cacher derrière l'enclos aux jeunes
bêtes et restait là, des heures durant, à essayer de
mettre un peu d'ordre dans ses sentiments. C'est là
que madame Norton le surprit ; il était tellement
enfoncé dans ses pensées douloureuses, qu'il ne
l'avait pas entendue venir.

— Jeremy, je n'aime pas te voir t'isoler de la sorte.
Tu passes ton temps à rêvasser, comme s'il n'y avait
pas assez d'occupations à la ferme. Et regarde-moi
quand je te parle, veux-tu !

Elle avait pris le menton de l'enfant dans sa main
pour l'obliger à dresser la tête, mais il s'échappa
en hurlant : « Tu n'es pas ma mère. Vous m'avez
menti, vous n'êtes pas mes parents ! Je suis le fils de
PERSONNE ! »

La nuit était tombée, et Jeremy errait toujours
dans la prairie. Norton décida de l'y laisser, disant
qu'il finirait bien par rentrer quand les coyotes se
manifesteraient. Mais son épouse ne l'entendit pas

de cette oreille. Elle planta une lampe dans la main de son mari et une autre dans celle de Cabosse, et les pria de bien vouloir retrouver cet enfant au plus vite, s'ils ne voulaient pas goûter à la grande colère irlandaise qui commençait à lui échauffer les sangs. Les deux hommes partirent dans la nuit. Il leur fallut trois bonnes heures pour pister ce gamin qui n'avait pas son pareil pour se fondre dans l'obscurité. Plusieurs fois, ils crurent le capturer, mais ils tombaient sur un jeune faon ou sur une chevrette affolés.

Quand il fut rentré à la ferme, madame Norton, sans un mot, le prit rudement par le bras et alla s'enfermer avec lui dans sa chambre. Elle lui mit la tête devant la glace et dit :

– Regarde-toi, Jeremy. C'est vrai tu n'es pas notre enfant. Je pensais te le dire un jour, mais cette petite peste de Lisbeth s'est mêlée de ce qui ne la regarde pas. Et maintenant, assieds-toi, que je te raconte ton histoire.

Elle lui dit comment on l'avait retrouvé sur les marches de l'église, comment elle n'avait pas hésité un seul instant à l'adopter. Il n'était pas son enfant, c'est vrai, mais elle l'aimait tendrement comme un fils. Elle lui donnait toute l'affection qu'elle aurait donnée à son propre enfant.

Jeremy vit qu'elle pleurait, mais elle se reprit vite. Elle ouvrit son armoire et fouilla sous une pile de draps :

– Voilà la couverture qui t'emmitouflait quand on t'a retrouvé sur les marches. Garde-la. C'est ta vraie mère qui te l'a mise. Elle ne voulait pas que tu aies froid.

Jeremy alla s'enfermer dans sa chambre et demeura tout le restant de la nuit avec le morceau de couverture. D'abord, il le toucha comme avec crainte, puis il en explora la texture rêche qui faisait, à ses doigts, une douceur de soie. Sa main caressait l'étoffe dont sa mère l'avait enveloppé, qu'elle avait tissée sans doute, déchirée à la hâte, à la recherche de quelque chose qui puisse le protéger et servir de message. Qui savait au juste ? Il effleurait la trame comme les doigts de sa mère l'avaient effleurée. Il se remplit les yeux des signes noirs et ocre qu'elle avait composés, suffoquant d'un bonheur si douloureux, si intense, qu'il pensa défaillir. Toute la nuit, la tête enfouie dans le morceau de couverture indienne, il voyagea aux portes du monde dont il n'avait pas le souvenir. Son monde à lui, son vrai monde, se cachait derrière une grande porte fermée. Une couverture y était clouée, une couverture aux signes étranges, comme une écriture dont on a perdu la clé.

Chapitre 2

Jeremy s'apaisa. Tout prenait sens : les colères de Norton, son mépris. Le fermier ne l'avait jamais accepté parce qu'il n'était pas son enfant. Et maintenant, Jeremy pouvait lui rendre la monnaie de sa pièce en le détestant violemment. Cet homme n'était pas son père, il ne lui devait donc rien. L'affection de madame Norton n'en prit que plus de valeur à ses yeux. Elle l'avait aimé du mieux qu'elle avait pu. Elle avait pris le relais de sa mère disparue.

Une chose mourait en Jeremy, une autre naissait. Quand il avait appris le secret de ses origines, il s'était dépouillé tout d'un coup, comme un arbre aux vents de l'automne. Maintenant il refleurissait, assistant, étonné, au retour d'un printemps qui levait des milliers d'oiseaux dans ses rêves. Il se promenait dans la prairie, seul avec ses pensées. Il regardait les collines qui fermaient l'horizon. Vertes au printemps, jaunes l'été, rouges à l'automne et couvertes de neige en hiver, elles rythmaient les saisons et le temps des travaux à la ferme. Mais voilà que ce décor familier changeait. Il y avait quelque chose derrière les collines, son pays à lui, Jeremy, sa vraie terre. Cloudy Hills était la grande porte derrière laquelle se tenait son vrai monde, celui de ses parents indiens, des tribus de la grande prairie. Tandis qu'il se promenait dans la plaine immense, des liens mystérieux se nouaient entre lui et le ciel, les nuages, la pluie. Le secret de ses origines était là, inscrit dans le vent venu des collines et qui murmurait des sons étranges dans les hautes herbes. Un jour, l'orage le surprit. Au lieu de courir se mettre à l'abri, il se déshabilla entièrement, et s'offrit tout nu à la pluie, la bouche ouverte, la tête contre le ciel. La pluie lui parut chaude et douce, il se laissait laver, il la buvait à longues gorgées. Puis il prit dans ses mains de la terre détrempée et traça sur son corps des signes

semblables à ceux de la couverture.
Il dansa en hurlant sous l'orage.

Pendant des semaines, Jeremy s'était senti seul et plus nu que l'orme de l'enclos en hiver. Et la mort de madame Norton avait renforcé ce sentiment. Il perdait sa deuxième mère. C'est au retour du cimetière qu'une idée nouvelle s'imposa. A vrai dire, elle frappait depuis quelque temps à la porte de sa conscience mais quelque chose — la peur peut-être d'une joie qu'on ne mérite pas — refusait de la laisser entrer. Qui savait si sa mère était morte ? Elle l'avait abandonné, mais elle vivait peut-être encore. Et son père aussi, là-bas, derrière Cloudy Hills, au milieu des tribus.

Cette idée était si forte, si brûlante, qu'il n'osait pas la retenir longtemps. Elle faisait trop mal ; il avait peur qu'elle s'évanouisse, que le vent de la prairie éclate d'un grand rire en lui disant qu'il était bien naïf de croire à ces fadaises. Le vent connaissait bien ce qu'il y avait derrière les collines, il en venait. Mais personne, à part le vent, ne semblait s'intéresser au pays de l'autre côté. A Redstone, quand on croisait un métis ou un Indien, on disait avec mépris qu'il aurait mieux fait de retourner de « l'autre côté ». Quant à Norton, il voyait Cloudy Hills comme la barrière de sa propriété, qu'on ne devait jamais franchir pour ne pas mettre en danger les troupeaux.

Jeremy voulut en savoir un peu plus, il interrogea Cabosse :

– Comment c'est, de l'autre côté de Cloudy Hills ?

Le commis émit quelques grognements :

– Comment veux-tu que ce soit ? Pareil que partout. De l'herbe.

Ces trois courtes phrases valaient tout un discours. Mais Jeremy ne voulut pas lâcher le morceau :

– Tu dis ça, Cabosse. Mais tu n'y es jamais allé, pas vrai ?

Le commis haussa les épaules et partit. Jeremy était sûr qu'il n'avait jamais passé les collines. Et donc qu'il ne connaissait pas le pays des Indiens de la grande prairie.

A longueur de nuits et de rêves, Jeremy cherchait à chasser le brouillard laiteux qui avait englouti ses parents. Il retournait en tous sens les raisons qui peuvent conduire une mère à abandonner son enfant. Sa conclusion fut qu'elle avait été malheureuse et donc dans l'incapacité de le garder. Une maladie peut-être, ou bien de gros malheurs qui s'abattent sans qu'on s'y attende : des ennemis, par exemple, des guerriers d'une autre tribu qui cherchent à tuer les enfants. La chose était possible.

Un jour, à l'église, le révérend Moriarty avait raconté une chose pareille à propos de Moïse. Le pharaon d'Égypte cherchait à faire mourir tous les enfants d'une tribu. La mère de Moïse l'avait mis dans une corbeille et confié à l'eau d'une rivière, et c'était la fille du pharaon qui l'avait recueilli.

Il en était certain, sa mère avait eu une bonne raison pour l'abandonner; et maintenant, si elle vivait toujours, elle devait être très malheureuse. Alors lui, Jeremy, il devait absolument partir à sa recherche, la retrouver pour lui dire de ne plus pleurer. Il habiterait chez elle, il travaillerait pour gagner de l'argent, il élèverait des bêtes. Elle ne manquerait de rien. Oui, voilà comment Jeremy voyait les choses. C'était à cause d'une guerre que sa mère avait dû l'abandonner. Les ennemis avaient sans doute tué son père, et sa mère s'était sauvée, elle avait franchi Cloudy Hills et laissé son enfant sur les marches du temple pour qu'il soit sauvé.

Jeremy s'imaginait encore d'autres scénarios. Il ne pouvait pas comprendre que son père ait pu être tué. Ou alors ils l'avaient eu par surprise, un traître qui lui avait planté une flèche dans le dos. C'était un grand guerrier, et Jeremy, maintenant, fixait Norton des yeux, comme doit faire le fils d'un guerrier, pour bien montrer qu'il n'a peur de rien, et qu'on aurait tort de le prendre pour un faible. Parfois, il se disait que son père avait peut-être été guéri de ses graves blessures, et qu'il l'attendait lui aussi.

Alors Jeremy n'eut plus qu'un seul désir : quitter au plus vite la ferme Norton pour franchir Cloudy Hills. Il suffisait de bien préparer son affaire, d'emporter une couverture, des vivres, un briquet, un couteau, le lasso, une pierre à serpent. Il fallait aussi un cheval courageux. L'idée lui vint qu'il l'avait sous sa main, en la personne de Flamme. Avec l'apaloosa, les choses finiraient bien par s'arranger. Est-ce qu'ils n'avaient pas tous les deux du sang indien dans les veines ?

Flamme restait toujours aussi redoutable, mais semblait s'amadouer un peu. Jeremy lui parlait :

– Sais-tu, Flamme, que je suis un Indien comme toi ? J'ai du sang indien dans les veines, seulement je ne le savais pas. Et toi non plus, tu ne le savais pas. Ça t'épate, hein ! Maintenant, j'espère bien que tu vas me laisser te monter. Que dirais-tu d'une petite balade dans la plaine ? Holà, tout doux, Flamme. Sais-tu seulement comment je m'appelle ?

Le cheval le regardait de ses yeux remplis de malice, hennissait comme s'il voulait répondre à la question.

– Je ne m'appelle pas Jeremy, mets-toi cela dans la tête. Mon vrai nom, c'est Cheval noir. Prépare-toi. Cheval noir et Flamme vont bientôt partir pour toujours.

Voilà où Jeremy en était de ses projets quand il se présenta un matin à l'enclos où Flamme avait passé la nuit. L'apaloosa broutait tranquillement quelques restants de fourrage. Tournant la tête vers le vieil orme qui ombrageait l'enclos, Jeremy vit que s'y perchait un grand aigle, une bête terrible comme il n'en avait jamais vu de sa vie. L'effroi le paralysa.

Sans quitter sa branche, l'aigle remua les ailes comme s'il voulait fondre sur Jeremy cloué au sol.

Chapitre 3

L'oiseau était immense. La tache jaune du bec en faucille, un collier de plumes blanches réveillaient avec peine le corps sombre du rapace. Ses yeux noirs charbonnaient. Il remua de nouveau les ailes pour mieux ajuster sa position sur la branche, tourna la tête à gauche, à droite pour ne rien manquer du spectacle qui s'offrait à lui : cet adolescent chiffonné de sommeil et paralysé par la peur.

Jeremy retrouva peu à peu ses esprits. Il savait qu'à tout moment, l'aigle pouvait fondre sur lui. Chaque jour, dans la prairie, des rapaces de plus petite taille tombaient comme des pierres sur de jeunes bêtes et les emportaient dans les airs. Alors, il recula lentement, veillant à ne faire aucun mouvement brusque. Il fallait prévenir Cabosse, qui viendrait avec son fusil.

Jeremy avait esquissé quelques pas vers l'arrière quand Flamme sortit de sa rêverie mâchonnante pour pousser un léger hennissement. L'aigle tourna le cou qu'il avait très mobile, regardant alternativement le cheval avec l'œil gauche et l'œil droit. Et Flamme hennit encore, d'une drôle de façon flûtée, susurrante. Il n'avait nulle peur de l'aigle et l'aigle n'avait aucune intention malveillante envers lui. On aurait dit plutôt qu'ils étaient en train de comploter : Flamme disait à l'aigle de rester discret, comme font deux hommes à l'approche d'un troisième qui ne doit pas entendre leur conversation. L'oiseau ne s'était pas posé là par hasard. On n'avait d'ailleurs jamais vu un aigle de la montagne se poser si près d'une ferme. Il était venu trouver Flamme. Ce calme, cette absence de peur de la part de l'apaloosa montraient que le cheval et l'oiseau étaient de connivence.

Jeremy rentra à la ferme et ne dit rien à Cabosse. Mais pendant qu'il avalait son bol de lait, un coup de feu retentit. Ils se précipitèrent dehors. L'aigle était déjà haut, volant dans la direction de Cloudy

Hills. Norton tenait dans ses mains son fusil encore fumant et jurait comme un charretier : il avait manqué l'aigle. Jeremy se surprit à en être tout heureux.

L'aigle revint. Jeremy se levait tôt pour être sûr de l'apercevoir avant que Norton ne le chasse ; il avançait discrètement en se cachant le long des bâtiments. Sans doute le grand oiseau arrivait-il sur la fin de la nuit. Il se tenait toujours sur la même branche, aux premières lueurs du matin, remuant paisiblement la tête, ébouriffant les plumes de son cou. Et toujours cette impression étrange que Flamme et lui échangeaient des secrets qui n'appartiennent pas aux humains. Cela n'étonnait qu'à moitié Jeremy, car Flamme — il le savait — débordait d'intelligence. Mais l'apaloosa avait mieux à faire qu'écouter les hommes, leur obéir, leur parler en remuant la tête, accomplir toutes ces choses idiotes qu'on demande aux chevaux. Il préférait de loin s'entretenir avec son ami l'aigle dans une langue mystérieuse, et les humains pouvaient toujours essayer de les comprendre ! Jeremy crut l'entendre rire.

La visite du grand aigle dura cinq jours. Le sixième jour, comme à son habitude, Jeremy s'approcha en se faisant le plus discret possible ; mais d'aigle, il ne vit pas trace. Il ne vit pas non plus l'apaloosa. L'enclos était vide. Flamme avait sauté par-dessus les planches et s'était enfui.

Jeremy ressentit un grand vide au spectacle de l'enclos déserté. L'arbre enchanté où se tenait hier encore le grand aigle n'était plus qu'un orme ordinaire, blessé par les cornes des vaches. Les bâtiments, la mare, l'abreuvoir, les outils de la ferme suaient l'ennui. Dans un coin du jardin potager, le soleil, de sa lumière espiègle, réveillait l'épouvantail. Pour un peu, Jeremy les aurait accusés de connivence eux aussi. L'idée obsédante lui venait qu'une entente secrète liait l'aigle, Flamme, l'épouvantail et le soleil. La fuite de l'apaloosa avait été programmée au nez et à la barbe des habitants de la ferme. Tout le monde savait, le vent, les nuages, l'épouvantail, le grand aigle. Tout le monde était au courant, sauf les hommes. Et maintenant l'épouvantail, la tête cachée sous son grand chapeau, en riait avec le soleil. Il était bien le seul, planté qu'il était en terre, à n'avoir pas pu s'enfuir ; mais rire, qui pouvait l'en empêcher ?

Jeremy s'échauffait à l'idée qu'ils l'avaient, lui aussi, tenu en dehors du secret. En s'enfuyant au petit matin, l'aigle et l'apaloosa avaient dû bien s'amuser en pensant à la tête qu'il ferait en découvrant l'enclos vide. Alors Jeremy n'eut plus qu'un désir : rattraper Flamme au plus vite. Il en était responsable, et Norton entrerait dans une colère noire en voyant qu'il l'avait laissé s'enfuir. Sa décision fut aussitôt prise. Dans l'appentis qui flanquait l'enclos, il dénicha un lasso, quelques cordes, un couteau, un briquet, un vieux manteau. Cela le dispensait de revenir à la ferme. Il s'engagea dans la prairie et prit tout droit vers Cloudy Hills.

A midi, il avait atteint le petit ruisseau de Flowers Creek. Les traces de sabots montraient que Flamme s'y était désaltéré. Vers le soir, il dut se chercher un lieu de bivouac, le trouva au milieu de rochers qui le protégeraient du vent. Il hésita à faire du feu, car on l'apercevrait depuis la ferme. A cette hésitation, il comprit qu'il n'avait pas envie d'être repris par Norton ni même par Cabosse. Il comprenait le cheval, et l'aigle, et l'épouvantail du jardin. Il voulait bien rattraper Flamme, mais c'était pour s'enfuir avec lui, non pour le ramener à la ferme. Ces rochers disposés en cercle étaient ses amis, ils le protégeraient du vent froid et des regards indiscrets. Et le lendemain il reprendrait sa route. Son repas fut frugal : quelques herbes de la prairie et trois œufs qu'il avait découverts dans un nid de caille caché à même le sol. Enfoui dans son vieux manteau, il s'endormit sous les étoiles.

Le lendemain, Jeremy atteignit la rivière qui coulait au pied de Cloudy Hills. Les traces de sabots étaient bien imprimées sur les graviers. Flamme avait traversé la rivière sans hésiter et Jeremy était bien décidé à faire de même. Il s'engagea dans le lit, mais il n'avait pas accompli le quart de la distance que l'eau lui arrivait aux épaules. Un fort courant rendait la rivière dangereuse, et Jeremy ne se sentait pas assez bon nageur pour tenter l'aventure. Il rebroussa chemin, s'assit, tout trempé, pour réfléchir à la situation. La seule solution était de construire un radeau. Trois ou quatre troncs assemblés feraient l'affaire. Il enleva son manteau, sa chemise et son pantalon pour les faire sécher au soleil, puis se mit à remonter la rive où il trouva trois jolis troncs tout blanchis portés par le courant depuis quelque forêt de sapins. Il lui fallut l'après-midi pour les élaguer, tailler des encoches et passer les cordes. Enfin, il se risqua sur la rivière, en mauvais équilibre sur son drôle d'esquif. Au premier courant, le radeau s'enroula sur lui-même, car Jeremy avait oublié de fixer des traverses qui l'eussent maintenu bien plat. Il se retrouva à moitié assommé contre un rocher, et regagna la rive tout meurtri. Le radeau avait filé.

Cette rivière était plus méchante qu'il ne l'eût pensé. Et il commençait à désespérer de la traverser quand apparurent au loin, vers l'amont, trois silhouettes un instant découpées sur le ciel. Il eut à peine le temps de les identifier — des chevreuils sans doute —, les trois bêtes avaient traversé la rivière en quelques bonds. Remontant la rivière, il se trouva devant un gué où l'on pouvait passer sans se mouiller les cuisses. Tout ce temps perdu pour rien, sans compter le risque de se noyer! Décidément, Jeremy avait encore beaucoup à apprendre.

Le soleil était couché quand il atteignit l'autre rive. Un vent vif s'était levé et se coulait entre les roches austères de Cloudy Hills. Jeremy s'engagea dans une faille qui semblait constituer un chemin acceptable entre deux masses rocheuses. Le sol pierreux ne gardait plus trace de l'apaloosa. Des tintements retentirent, peut-être de menues pierres roulant sous les sabots de Flamme, ou bien un animal nocturne tapi là-haut, prêt à bondir. Jeremy frissonna. La terreur le paralysa quand un oiseau de nuit le surprit par l'arrière et l'effleura de sa grande aile. Il s'arrêta longuement pour laisser son cœur s'apaiser. Un court instant, l'envie le prit de rebrousser chemin. Mais une petite voix intérieure lui criait qu'il faudrait être fou pour abandonner l'aventure alors que Flamme était en train de le conduire au pays qu'il voulait tant connaître depuis qu'il se savait enfant trouvé. Le pays où il était né, dont le souvenir aveugle ne demandait qu'à revenir au jour.

Une lune joviale se montra au détour d'un rocher. Sa lumière enveloppa Jeremy d'une douceur veloutée. Les choses à son contact, cailloux, plantes, ruisseaux, retrouvaient leur aspect familier. Cette forme noire et biscornue, au pied du rocher, n'était rien d'autre qu'une racine, et la bête fantastique qui déboula brusquement n'était qu'un lièvre surpris dans son sommeil. Jeremy était en train d'apprivoiser le pays qu'il avait espéré, pour lequel il s'était préparé en dansant sous la pluie et en s'enduisant de boue la figure. Son pays dévoilait ce visage nocturne que jamais ni Cabosse, ni Norton n'avaient pu contempler.

Il se rapprochait de la ligne des crêtes et n'avait toujours pas rattrapé Flamme. La pente était sévère, mais la lune continuait de l'envelopper de sa lumière douce pour l'encourager dans sa progression parmi les caillasses. Quand il parvint enfin, tout essoufflé, sur la dernière crête, le spectacle qui s'offrit à lui le figea de stupeur.

Une vingtaine de chevaux paissaient en contrebas, dans un endroit herbu où montait le bruit d'un ruisseau. L'écoulement de l'eau ne faisait qu'aviver l'impression de calme surprenant qui régnait sur cette combe figée sous la lune. Jeremy s'étonnait que vingt apaloosas puissent être là, à quelques pas de lui, dans cette bulle de silence. C'était comme s'il venait, au sommet de la crête, de déchirer une peau pour entrer dans un monde cristallin que le chuchotement continu du ruisseau arrachait aux heures et au temps.

Les apaloosas ne faisaient aucun bruit, et pourtant Jeremy était sûr qu'ils communiquaient de silencieuse et mystérieuse façon. On voyait s'orienter doucement les oreilles, remuer les crinières, balancer les queues. Une sorte de film muet mais vivant, respirant, passait devant ses yeux écarquillés. Ce qu'il voyait là était parfaitement étranger au monde des hommes, à Lisbeth, à Cabosse, à la ferme Norton qu'en se retournant, pourtant, il aurait sans doute pu apercevoir au loin, avec le scintillement de ses lumières. Il lui sembla que les chevaux ne l'avaient pas repéré. Le vent lui avait été favorable durant toute la montée, voilà pourquoi ils ne l'avaient pas entendu venir. Il s'accroupit lentement pour ne pas trahir sa présence, mais une voix lui parvint soudain :

– Nous t'attendions, Jeremy cheval.

Jeremy se retourna pour s'assurer qu'il n'y avait personne derrière lui. La voix reprit :

– Nous t'attendions, oui. C'est bien à toi que je m'adresse. L'aigle a prévenu Flamme que tu étais à sa poursuite.

Jeremy leva la tête, mais ne vit rien d'autre qu'un ciel bleu sombre et le grand halo de lune. Son regard revint aux chevaux qui broutaient. Il crut distinguer Flamme, tranquillement installé au milieu du troupeau. Mais son attention se porta sur un superbe animal blanc qui encensait dans sa direction et maintenant faisait deux ou trois pas nonchalants pour se distinguer de la troupe :

– Je m'appelle Cavale blanche. Et toi, tu es Jeremy cheval.

– Je ne suis pas Jeremy cheval, s'entendit répondre Jeremy. Je m'appelle Cheval noir.

Un grand rire de hennissements retentit aussitôt, et Jeremy s'aperçut avec stupeur qu'ils montaient

directement à l'intérieur de sa tête,
sans voyager à travers l'air comme
font les sons habituels, car la troupe
d'apaloosas continuait à brouter
tranquillement. Cavale blanche aussi lui parlait
dans sa tête. Elle remuait bien un peu les lèvres,
mais tout montait comme par enchantement à l'intérieur du crâne, comme monterait l'eau d'une fon-
taine. Paroles claires et limpides, affranchies des
mots que prononcent les hommes, pour migrer
dans la langue intérieure des chevaux.

– Non, reprit Cavale blanche, non, tu n'es pas
Cheval noir. Tu ne mérites pas ce nom. Nous
t'appellerons donc Jeremy cheval.

Jeremy se pinça le bras pour vérifier qu'il n'était
pas en train de rêver. La jument s'était encore
avancée de quelques pas. Sa robe, d'un blanc
immaculé, se lustrait d'un reflet bleu sous la lune ;
une lumière diaphane se détachait du corps et
croulait jusqu'au sol comme un somptueux tapis
de neige. Jamais il n'avait vu jument aussi atti-
rante. Elle tournait élégamment ses oreilles à
droite, à gauche ; le balancement de son cou soule-
vait sa crinière en vagues ondulantes. Une sorte de
grâce moqueuse émanait de tout ce personnage né
de la nuit. Elle semblait attendre quelque chose,
une réaction de sa part. Et Jeremy se demanda

comment il pourrait bien entrer en discussion avec une jument. Jusqu'ici, il leur avait parlé, sûr. Il leur donnait des ordres, les rabrouait, les encourageait. Mais discuter !

– Je vais t'expliquer pourquoi nous t'avons attendu, Jeremy cheval, dit Cavale blanche en accompagnant ses paroles insonores par de jolis mouvements d'encolure. Flamme nous a dit que tu n'étais pas son ennemi, et qu'il y a en toi du sang qui coule de ce côté-ci des collines. Tu penses bien qu'autrement nous serions déjà loin. Et maintenant, il faut te décider, Jeremy cheval. Avance de quelques sabots pour nous dire ton accord et rejoins-nous. Ou bien alors, retourne à la ferme Norton.

Jeremy faillit hurler de panique. Elle avait parlé de sabots, il avait bien entendu ! Elle lui demandait d'avancer *de quelques sabots*. Pour qui le prenait-elle donc ? Est-ce que par hasard elle s'imaginait qu'il... qu'il était... qu'il était devenu...

Horrifié, il ferma les yeux. Il avait très peur de se découvrir autrement qu'il n'était. Il avait bien senti que quelque chose s'était produit quand il avait franchi la crête. Mais un corps d'animal ! Il fermait si fortement les paupières qu'il voyait partout des étoiles. Il ne voulait surtout pas regarder ses pieds, ses mains. Il ne voulait pas voir son corps. Mais la

voix continuait, très douce, à son
oreille, elle montait de son intérieur,
et Jeremy sut qu'il suffisait de dire :
« Oui, je viens avec vous » pour qu'il
ne s'occupe plus de la forme de ses jambes, ni de ses
bras, ni de sa tête. Il serait cheval au milieu de ses
amis apaloosas. Jeremy cheval, comme l'appelait
Cavale blanche, allait parcourir le pays de ses ancêtres, aux côtés de Flamme et de toute cette troupe
de superbes animaux.

Alors il se décida à ouvrir les yeux et s'avança
dans la direction de la troupe. Un cliquetis de
sabots accompagnait chacun de ses pas. Son
regard rechercha au milieu de la troupe son ami
Flamme. Le bel apaloosa leva la tête avec cet air de
malice qui lui était si familier, comme pour lui
dire : « Excuse-moi d'avoir bavardé. Il ne fallait
pas me dire un jour que tu t'appelais Cheval noir. »

Sans même s'en apercevoir, Jeremy cheval se
retrouva en train de cavaler à longues enjambées
dans la vallée qui ruisselait de lune. Cavale blanche
avait pris la tête de la troupe, ils trottaient dans la
brise. Flamme s'était porté à la hauteur de Jeremy
cheval pour lui souhaiter la bienvenue :

– Nom d'un sabot, dit-il entre deux hennissements, tu vas voir comme il est beau notre pays.

Tu comprendras pourquoi j'ai toujours refusé que cet imbécile de Norton me transforme en fauteuil pour ses fesses de bipède.

Chapitre 4

Ils cavalèrent tout le restant de la nuit, passèrent le long de parois de roches sombres où la lune faisait luire d'étranges ombres mauves, franchirent des rivières qui chuchotaient leurs rêves dans le silence. Ils allaient déboucher dans la plaine quand le soleil s'annonça derrière l'épaulement d'une dernière colline. Le ciel se teinta de couleurs sang. La colline accouchait du grand œuf enfoui dans la terre, et l'offrait, tout embarbouillé, au ciel qui repoussait la nuit.

Après la longue course de la nuit, les apaloosas se recueillaient devant le nouveau jour. Le vent monta de la vallée, et Jeremy cheval reçut les parfums qui se réveillent avec le jour, odeurs vives, douces et âcres, qu'il n'associait à aucun nom de plante, mais qu'il lui semblait pourtant reconnaître. Elles frétillaient dans sa mémoire, comme de petits poissons cachés dans les graviers d'une rivière. Au loin, un lac miroita sous les premiers feux.

– Voilà ton pays, Jeremy cheval.

Jeremy s'ébroua. Il sentit sa crinière se déployer dans la lumière. Toute la troupe attendait que Cavale blanche donne le signal pour dévaler au grand galop la pente qui ouvrait sur la grande prairie. Il eut encore une petite pensée pour le pays de l'autre côté des collines, la ferme Norton, l'enclos, Cabosse, Lisbeth. Il n'y avait en lui aucun regret. Cavale blanche, d'un grand remuement de crinière, donna le signal de la plongée dans la vallée. Les apaloosas partirent comme des fous, faisant lever sous leurs sabots des étincelles de feu.

Jeremy fut si surpris qu'il se retrouva en arrière. La peur le prit de se faire distancer et de se retrouver seul dans ce pays inconnu. Les jambes lui faisaient mal, de l'écume moussait à sa bouche ; il se sentait aux limites de ses forces pendant que les autres cabriolaient comme des saltimbanques. Bientôt, il ne vit plus que les herbes froissées et ces milliers de

graines ailées que les apaloosas, à
leur passage, faisaient s'envoler dans
les airs. On avait atteint une zone
d'herbes hautes qui poussaient sur
un sol très humide. Jeremy se sentit les sabots
lourds. Il en voulut beaucoup à Flamme qui avait
filé sans l'attendre. On le laissait dans sa solitude.
Serait-il seulement capable de rejoindre le groupe ?

Un boqueteau de cèdres bleus se dressa dans le
lointain. Les apaloosas l'y attendaient.

– Tu retardes le groupe, lui dit sans ménagements
Cavale blanche. Tu es ici dans des régions dange-
reuses, personne ne peut rien pour toi si tu tardes.
Un puma, un lynx peuvent à tout moment te surprendre. Tu dois rester au contact de la troupe. Tu
entends, Jeremy cheval ?

Cavale blanche ne lui faisait pas de cadeau. Il
avait prétendu s'appeler Cheval noir. Qu'il le
prouve !

– Regarde, continuait la jument guide, regarde
Pommelle et Pie rouge. Elles sont plus jeunes que
toi. Pourtant, elles ne nous causent pas de problèmes.

Jeremy commençait à distinguer les individus qui
composaient le groupe. Pommelle était cette jeune
jument pommelée, fond blanc, taches gris-noir en
forme de fruits. Et Pie rouge ne pouvait être que

cette pouliche dont la longue crinière rouge empanachait une splendide robe blanche maculée de taches aubères. Toutes les deux firent celles qui n'entendaient pas les remarques désobligeantes de Cavale blanche à son égard, mais il se doutait bien qu'elles ne perdaient rien des remontrances.

Jeremy cheval fit un pas de soumission en direction de la jument guide et baissa l'encolure. Elle lui répondit en relevant la sienne. Un hennissement sec l'avertit qu'elle ne répéterait pas deux fois les mêmes choses.

Le soleil cognait fort. Jeremy profita de la pause à l'ombre des cèdres pour refaire ses forces. Il fit sa provision d'herbes tendres, si parfumées qu'elles en faisaient presque tourner la tête, puis il suivit les autres qui s'écartaient pour aller boire au ruisseau. Il régnait dans cette troupe une entente tacite renforcée par la longue course de nuit et par la nécessité d'être constamment aux aguets dans cette plaine habitée par des fauves. Les lynx, les pumas qu'on appelle encore les couguars ou les lions de montagne, Jeremy les connaissait bien à la ferme Norton. Ils causaient de terribles dégâts dans les troupeaux. Il se rappelait le jour où un couple de pumas avait pénétré en plein midi dans l'enclos des jeunes bêtes, abattant sans pitié les poulains.

Ensuite, durant quatre jours, ils avaient harcelé le bétail, tué et à demi dévoré cinq gros veaux. Les fermiers s'étaient regroupés pour leur donner la chasse. Mais les chevaux refusaient de courir après les pumas. Dès qu'ils sentaient leur odeur, un tremblement de tout le corps les prenait, et ils tournaient bride. Norton ne décolérait pas. Il avait beau cravacher sa monture, rien n'y faisait ; le cheval se dérobait.

Quatre jours ! Il avait fallu quatre jours de poursuite et de traque pour abattre les pumas enragés.

Lorsque Cavale blanche donna le signal du départ, ils repartirent sur un train moins soutenu. Jeremy nota que l'aigle planait au-dessus d'eux. Il se sentait mieux. Sans doute l'herbe qu'ils venaient de pâturer avait-elle des effets médicinaux, car ses muscles étaient moins douloureux. Ils trottèrent à vive allure pendant que le soleil s'installait en plein ciel, et Jeremy se demandait bien pourquoi la jument guide choisissait les heures les plus chaudes pour les déplacements. Puis il en comprit la raison : les fauves ne chassent pas à la grosse chaleur.

La fatigue revint, sous forme de lourdes crampes qui lui montaient des jambes pour engourdir tout son corps. La tête se mit à lui tourner, il allait comme un automate. Cette longue cavalcade ne

finirait donc jamais. Comment fai-
saient-ils tous pour supporter la chaleur, les grappes de mouches qui
s'acharnaient sur leurs naseaux,
leurs paupières, les terrains marécageux où le corps
s'enlise, éprouvant ensuite toutes les peines de l'enfer pour s'en extraire. Une nouvelle fois, il se retrouva en dernière position, et n'eut bientôt pour point
de repère que la croupe de l'avant-dernier, un cheval bai, qui lentement mais sûrement le distançait. Il
voulut réagir, mais rien n'y fit. Jamais il n'aurait
pensé que la liberté des chevaux exigeât tant d'efforts. Qu'avait-il fait de toutes ses années au ranch
pour être aussi fragile ? Il avait eu beau épater Lisbeth en sautant sur le dos des jeunes taureaux,
qu'est-ce que cela représentait alors qu'il n'était
même pas capable de suivre l'allure de Pommelle et
de Pie rouge ? Pie rouge justement qui perdait elle
aussi du terrain, car elle grossissait dans son champ
de vision ; elle allait au trot, en compagnie d'un étalon qui n'était autre que Flamme. Jeremy éprouva
une petite joie agressive à constater qu'ils étaient
aussi fatigués que lui. Son orgueil le poussa à les
dépasser pour leur montrer de quoi il était capable,
mais il se trompait lourdement en pensant qu'ils
étaient à bout de forces. Ils revinrent à sa hauteur
avec une facilité dérisoire :

– On vient t'aider, dit Pie rouge. Place-toi derrière moi ; Flamme fermera la marche. Tu ne pourras pas t'arrêter. Courage.

Il se retrouva derrière Pie rouge et n'eut bientôt pour paysage que la svelte croupe de la pouliche, son déhanchement parfait, le rythmé de sa longue queue soyeuse. Mécaniquement, il allongea les pattes, en essayant de vider son intelligence de tout autre souci que celui de galoper. Par deux fois, épuisé, il ralentit l'allure, et par deux fois, il se fit mordre cruellement l'arrière-train. Son ami Flamme ne plaisantait pas.

Ils allèrent ainsi au grand trot sur de longues étendues, après quoi Pie rouge se mit au galop pour réduire le plus possible leur retard. Quand ils parvinrent au pied de la paroi rocheuse où le groupe s'était arrêté, Cavale blanche posa son œil intraitable sur Jeremy cheval, enregistra l'écume à la bouche, la mousse blanche partout sur le corps, mais s'abstint de tout commentaire.

Le surplomb de la roche leur offrait une ombre particulièrement appréciée après leur course en plein soleil. Le vent leur étant favorable, toutes les odeurs de la prairie leur arrivaient aux naseaux, et ces odeurs n'annonçaient rien de bon. Jeremy s'efforça de faire comme les autres, levant la tête pour humer le vent, à la recherche d'effluves suspects. Il ne sentait pas grand-chose à vrai dire, sinon le fort parfum des herbes. Mais les autres chevaux reniflaient un danger, et l'aigle qui planait là-haut confirmait leurs craintes. Des relents sauvages diffusaient dans l'air. Une famille de pumas rôdait dans les environs.

Cavale blanche s'approcha d'un étalon que Jeremy n'avait pas encore repéré ; sans doute avait-il l'art de rester bien caché au milieu de la troupe. C'était un cheval d'une miraculeuse et presque insupportable beauté. Il ne fut visible que le temps d'un éclair, car le groupe fit de nouveau écran. Maintenant, la jument s'entretenait avec un autre mâle de belle apparence, dans sa robe grise semée de taches argentées. Ils demeurèrent un bon moment en tête à tête avant que Cavale blanche, d'un mouvement d'encolure, ne demande au groupe de prêter attention. Sa voix monta à l'intérieur des crânes :

– Chaman me dit qu'une famille de pumas est en chasse. Il y a sans doute des petits et les adultes sont en recherche de nourriture. Ils seront intraitables. Notre seule chance, vous le savez, est de les semer. Ils se fatiguent plus vite que nous à la course, mais ils sont plus rapides sur une courte distance. Évitez

les hautes herbes et les buissons.
Nous allons tenter de passer en lon-
geant la falaise. Mais s'ils nous repèrent, il faudra partir au galop à
mon signal. Je dis cela à l'intention de Pommelle et
de Pie rouge qui sont encore jeunes, et aussi de
Flamme au cas où il aurait perdu les bonnes habitudes dans le pays qui encage les chevaux. Je le dis
aussi à l'intention de Jeremy cheval. Pour l'instant,
reposez-vous le plus possible, sans un bruit, sans un
hennissement, sans un éternuement, sans un coup
de sabot. Notre ami l'aigle tourne au-dessus de nos
têtes. Il nous avertira si les pumas attaquent.

Chapitre 5

Les apaloosas se relaxèrent, bien d'aplomb sur leurs pattes et la tête légèrement inclinée, comme en recherche de méditation. Jeremy chercha à faire de même, mais s'il fermait les yeux, il voyait les cadavres déchiquetés des poulains dans l'enclos de la ferme Norton. Un influx nerveux déclenchait dans ses muscles des contractions incontrôlées. Il avait envie de hennir, de se racler la gorge, de hurler sa terreur. Il ne comprenait pas comment les apaloosas arrivaient à garder leur calme face à la terrible menace. Quelques-uns se mirent à aller et venir, l'encolure basse, les yeux perdus dans la contemplation de leurs sabots. Ils ne s'éloignaient pas, se croisaient plutôt, reposaient un instant leur tête sur l'encolure du voisin, se séparaient pour renouer un peu plus loin avec d'autres. Cela faisait un ballet très lent de crinières noires, rouges, blanches, de robes grises, aubères, rouannes ou baies.

L'étalon que Jeremy avait repéré formait maintenant le centre du ballet. Les chevaux tournaient autour de lui, le cachant tantôt à la vue, tantôt le démasquant. Fasciné, Jeremy observait celui qui avait eu droit aux honneurs d'une conversation avec Cavale blanche. Il semblait distant, un peu absent. Personne ne venait le flairer ou mettre sa tête à hauteur de la sienne, comme Jeremy voyait qu'on le faisait en signe de fraternité (il aurait bien aimé « faire tête-à-tête » avec Pommelle ou Pie Rouge, mais il ne se sentait pas assez accepté par le groupe pour oser de telles familiarités). On entourait l'étalon, mais on ne l'approchait pas, comme s'il se fût agi d'un personnage sacré, un vieil ancêtre, bien qu'il ne parût pas spécialement âgé. Il émanait de lui une beauté sauvage, inquiétante. Sa robe était d'un blanc princier rehaussé de superbes taches rouannes. Elles n'étaient pas disposées irrégulièrement, comme chez les autres chevaux. Il

semblait au contraire qu'une intelligence les avait réparties selon une
géométrie bien précise. Deux belles
taches cerclaient ses yeux et ses
oreilles. Une autre lui faisait au poitrail un bouclier
du plus bel effet, tandis que deux losanges de sem-
blable couleur rouanne lui décoraient les flancs.
Mais l'aspect mystérieux et presque inquiétant lui
venait de ses yeux. On eût attendu, chez ce cheval
sauvage qui respirait la force, tout autre chose que
des yeux clairs. Or ces yeux-là étaient d'une clarté
plus intense que celle du ciel bleu. Jeremy n'avait
jamais vu cheval aussi singulier. Flamme était un
superbe étalon. Pie rouge, Pommelle et Cavale
blanche respiraient la beauté la plus grande qu'on
puisse imaginer chez les chevaux. Mais celui-là
dépassait l'imagination. On se disait, à le regarder,
qu'une telle harmonie ne pouvait pas exister chez
un être chevalin, que cet équilibre, ces couleurs, la
richesse des tons devaient être un accident de la
nature, un hasard comme il en arrive une fois sur
dix milliards. Et pourtant, ce produit du hasard
était là, bien protégé au milieu d'une petite troupe
d'apaloosas qui mettaient leur honneur à le protéger comme un être rare.

Une voix monta en Jeremy cheval :
— C'est notre *medecine-hat*.

– Notre quoi ?

– *Medecine-hat*. C'est ainsi qu'on appelle le cheval que tu es en train d'observer. Ce sont les hommes qui lui donnent ce nom, et parfois nous les imitons. Mais en fait, le *medecine-hat* est le seul d'entre nous à n'avoir pas de nom singulier. Quand nous parlons de lui, nous disons « il », et tout le monde comprend. Si tu veux un conseil, ne le regarde pas trop. Tu es jeune et nouveau, tu dois multiplier les marques de respect.

Jeremy cheval se demandait bien qui était en train de lui parler, car la voix montait comme un souffle à l'intérieur de sa tête, et il ne savait pas localiser d'où elle venait parmi tous ces chevaux silencieux qui se décontractaient avant le danger.

– Mais maintenant, écoute-moi bien. Tu dois concentrer ton attention sur ce qui va arriver. Mesure bien le danger. Une famille de pumas nous attend, et j'en ai vu, de jeunes écervelés comme toi, Pommelle ou Pie rouge, se faire prendre dans leurs griffes. Et toi, Jeremy cheval, tu ne cours pas encore aussi vite que Pommelle et Pie rouge.

Jeremy aurait bien aimé démasquer celui qui se permettait de saper son courage avant même que l'épreuve commence. Une grosse sueur l'inonda. Du fond troublé de sa mémoire remontèrent d'horribles sensations de griffures, d'ombres animales, de fauve furieux grimpé sur sa proie pour la dévorer. Il faillit hurler comme dans un mauvais rêve, il allait se réveiller, ce n'était pas vrai, pas possible. Les pumas n'allaient pas le dévorer.

Tout le monde autour de lui respirait calmement dans l'ombre discrète de la falaise. Et personne ne se préoccupait de lui. Et Cavale blanche, dans une cruelle indifférence, savait sans doute qu'il était perdu. Mais pourquoi avait-elle permis qu'il les accompagne si c'était pour mourir dans sa première rencontre avec ces damnés pumas !

– Efface de ton esprit toute terreur, Jeremy cheval. Elle ne servirait qu'à te rendre les muscles plus lourds. Et devant les pumas, il vaut mieux filer comme une flèche, crois-moi.

Le cheval gris argenté avec lequel Cavale blanche s'était entretenue se trouvait à son flanc sans qu'il s'en soit même rendu compte. La tête était tout près de la sienne. Ainsi c'était lui, le prophète de malheur.

– Pas de malheur, dit le cheval, comme s'il lisait dans les pensées de Jeremy, pas de malheur, non. Mon vrai nom est Flèche d'argent, mais, comme tu l'as entendu, on m'appelle Chaman. C'est moi qui connais l'histoire de nos ancêtres apaloosas. Je connais aussi les herbes qui guérissent, les pierres qui blessent et les rivières qui noient, je devine les orages et les tornades, je devine aussi l'avenir quelquefois.

Chaman balançait sa tête avec la régularité d'une nourrice berçant un nouveau-né. Ses yeux étaient chauds et doux comme des noisettes brunies au soleil. Quelques poils blancs au menton montraient qu'il était d'un âge mûr.

— Et l'aigle que tu vois là-haut est mon ami, continua Chaman. C'est lui qui m'a appris que Flamme était malheureux dans la ferme de ce triple idiot de Norton, alors je lui ai demandé d'aller le chercher. Et c'est moi que Cavale blanche a consulté pour savoir si nous devions t'accepter dans notre groupe. J'ai dit oui. La route est encore très longue avant que tu trouves ce que tu es venu chercher.

» Et maintenant, respire avec calme, et fais confiance. Dors un peu, si tu le peux. Moi, je vais m'entretenir avec Cavale blanche et notre ami l'aigle. Remarque la façon dont il décrit des cercles. Quand ils se feront tout petits, comme s'il tournoyait sur lui-même, alors il faudra s'en aller. On partira sans bruit, et si les pumas nous repèrent, on leur lancera toutes les flammes de l'enfer à la gueule, à l'aide de nos sabots.

Jeremy sentit des sanglots monter dans sa gorge. Pourquoi ce cheval se montrait-il aussi cruel ?

– Tu m'as dit, lança-t-il avec colère, que je n'y arriverai pas, puisque je ne cours pas assez vite. Et tu me promets une longue route ! C'est Satanas qu'il faudrait t'appeler !

– Tu ne cours pas encore vite, c'est vrai, et tu fatigues ; mais dans quelques lunes, tu seras aussi rapide que Flamme ou Cavale blanche.

– Tu dis n'importe quoi, gronda Jeremy. Dans quelques lunes, je serai mort. Les pumas vont se régaler.

– Tu n'es pas un champion de vitesse, c'est clair ; mais tu as ton intelligence. Fais-moi confiance, il suffira que tu fasses exactement ce que je te dirai, et tout se passera bien. Sauf si bien sûr, ajouta-t-il d'un ton moqueur, le Grand Esprit s'est endormi là-haut au paradis des apaloosas. Dans ce cas, tu iras le rejoindre.

Jeremy cheval s'apaisa. Il lui sembla que Pie rouge et Pommelle se rapprochaient de lui, comme pour lui prodiguer de discrets encouragements. Et Chaman maintenant se tenait près de Cavale blanche. Ils observaient le ciel, les tournoiements de l'aigle, et ils sentaient le vent, déchiffrant les allées et venues des pumas. Et soudain, Jeremy entendit

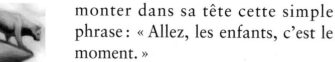monter dans sa tête cette simple phrase : « Allez, les enfants, c'est le moment. »

Aussitôt les apaloosas se mirent en file indienne derrière la jument guide. Flamme, Pommelle et Pie rouge étaient juste devant Jeremy qui précédait Flèche d'argent et un autre étalon, appelé Cheval fou, grand et jeune cheval un peu dégingandé qui ballait de la tête comme s'il récitait des poèmes au soleil.

Ils allaient à pas de velours, à l'ombre de la grande falaise. On entendait là-haut, dans le surplomb rocheux, des corneilles bavardes croasser. Cavale blanche était une bonne tacticienne. La falaise était trop raide pour que les fauves puissent les surprendre d'en haut. Restait à surveiller un seul côté, ces buissons et ces arbustes où les pumas se cachaient. Pour cela, il y avait l'aigle, et Chaman, et le vent qui leur portait les odeurs. L'important était de ne pas se démasquer, ce qui aurait aussitôt provoqué des tactiques d'encerclement de la part des pumas. Et si par hasard, les fauves se rapprochaient trop, il faudrait jaillir pour filer devant eux dans la grande plaine. Là on tiendrait une course d'enfer jusqu'à ce qu'ils se fatiguent.

On atteignit un éboulis. Cavale blanche n'aimait pas ces amas de cailloux qui, en cas de danger, favorisaient l'adversaire. Elle préférait le terrain plat ou légèrement montant, bien dégagé. Mais il ne fallait pas s'y engager trop tôt. Mieux valait savoir avec précision où les fauves se trouvaient.

La jument guide parut hésiter, choisit de contourner les rochers pour demeurer en terrain plat. La tension monta dans le groupe, les queues accélérèrent leur battement, les oreilles se firent très mobiles. Jeremy suivait du mieux qu'il pouvait, essayant de se rassurer par la présence de ses amis devant et derrière lui. Et soudain, un cri lui déchira la tête. Les pumas attaquaient. Cavale blanche donnait le signal.

Jeremy vit Pommelle et Pie rouge se lancer dans un galop furieux. Il essaya de se concentrer uniquement sur sa course, pour rester au contact. Derrière lui se trouvaient Chaman et Cheval fou. Tant que ces deux-là ne le dépassaient pas, il se savait dans le bon rythme. Tout en galopant comme un damné, il tournait son oreille droite du côté de la plaine, et son œil droit scrutait les buissons. Mais les pumas étaient de fins chasseurs ; ils ne se découvraient pas afin de garder l'effet de surprise. Ils pouvaient surgir à n'importe quel moment pour passer à l'attaque. Une voix intérieure, d'un calme absolu, lui parvint : « Ils viennent sur notre flanc, Jeremy. Observe bien les buissons un peu derrière toi. Les aperçois-tu ? Garde courage. »

Tout en maintenant son train d'enfer, Jeremy concentra son attention sur les buissons. Des ombres bondissaient à faible distance. Elles disparaissaient dans les herbes, reparaissaient, flottant dans une légèreté irréelle. Elles gagnaient du terrain. Curieusement, Jeremy n'éprouvait aucune peur. Il se disait que s'il devait mourir sous les crocs et les griffes, ce serait son destin.

– Trois adultes, commentait Chaman. Ils vont attaquer dans peu de temps. Il faut que tu tiennes encore. Tu m'entends bien, Jeremy cheval ? Tu dois encore tenir.

Jeremy ne sentait plus ses jambes, et ses poumons étaient en feu. Il lançait son encolure loin devant, comme un balancier, pour mieux faire avancer le corps. Il avait gardé le contact avec Pie rouge et Pommelle ; Chaman et Cheval fou se trouvaient toujours derrière lui.

– Ils vont certainement attaquer Pommelle ou Pie rouge, reprit Chaman comme s'il analysait la chasse depuis une tour d'observation. Ce sont les plus petites. Mais ils peuvent aussi s'en prendre à toi, car tu es plus près d'eux. Alors écoute bien ceci, Jeremy ;

c'est le moment de montrer ton intelligence. S'ils attaquent Pommelle ou
Pie rouge, ne t'en mêle surtout pas!
Elles savent comment s'y prendre. Si
jamais tu ralentis, ils les lâcheront, et tu seras aussitôt cerné. Et fais bien attention encore à ceci: s'ils
s'en prennent à Pommelle et à Pie rouge, ils te bar-
reront la route, obligatoirement. Alors fais un écart
et file toujours tout droit. Surtout aucun crochet,
pas le moindre virage. Ils n'attendent que cela.
Prépare-toi, Jeremy, les voilà. Bonne chance.

Trois fauves surgirent des proches buissons, et
Jeremy ne savait pas que son œil chevalin pût enre-
gistrer autant de détails sur ses adversaires: les
épaules en saillie, les larges pattes tournées vers l'intérieur, les griffes bien sorties, la gueule ouverte à la
recherche de l'air, la langue pendante entre les
crocs, les yeux parfaitement indifférents des grands
fauves.

Il les vit hésiter entre lui, légèrement plus proche
mais d'allure plus imposante, et Pie rouge, qui
venait de prendre deux ou trois longueurs d'avance
avec Pommelle. Ils choisirent les deux pouliches, et
ce fut un horrible moment. Les pumas étaient maintenant à la course avec elles, ils n'avaient plus qu'à
choisir l'instant propice pour leur sauter en croupe

et lacérer leurs chairs. Pie rouge qui courait à la droite de Pommelle était la plus menacée. Jeremy lui hurlait dans sa tête ses encouragements. Il en oubliait son propre danger, lui qui courait juste derrière. Si jamais les pumas manquaient leur assaut, ils allaient se retourner contre lui, mais il ne s'en apercevait pas. Il avait trop peur pour Pie rouge. Il aurait voulu prendre sa place, lancer ses sabots dans les gueules démoniaques. Il se sentait soudain très en fureur et rempli d'une énorme force. C'est alors que Chaman et son compagnon le dépassèrent. Jeremy eut le temps d'entendre Chaman lui dire : « Ton écart, Jeremy cheval. Ensuite file tout droit. »

Jeremy obliqua brusquement vers la grande prairie et partit droit devant. Tournant la tête, il aperçut Chaman et Cheval fou qui fonçaient sans dévier comme s'ils voulaient s'empaler sur les fauves. Un instant décontenancés, les pumas cessèrent leur harcèlement, et la distance entre Pie rouge et eux augmenta aussitôt. Quant aux deux étalons, ils firent un écart au dernier moment. Fatigués, leur élan brisé, les trois fauves n'avaient plus la force de reprendre la chasse. Le danger était écarté.

Alors, Jeremy cheval ralentit l'allure et revint vers la troupe, tout en vérifiant que des pumas ne se

cachaient pas dans les environs.
Quand il fut certain qu'ils sortaient
vainqueurs de l'attaque, il manifesta
sa joie dans une cascade de hennis-
sements à l'adresse du ciel. Il rejoignit le groupe qui
s'éloignait au trot, et se lança dans une série de folles
ruades, histoire de montrer à Pie rouge combien il
était heureux qu'elle ait pu s'échapper.

Chapitre 6

Les semaines qui suivirent l'attaque des pumas furent d'un intense bonheur. Cavale blanche conduisait sa troupe dans des régions que Jeremy n'eût même pas pu imaginer quand il vivait à la ferme Norton. Montagnes et lacs d'une beauté sauvage, canyons vertigineux, prairies ou steppes arides, eaux brûlantes sortant en geysers des sols bouleversés. On pataugeait sur les bords de larges rivières dans un envol d'éclaboussures perlées de lumière. Cavale blanche regroupait son monde au milieu de sapins qui offraient aux chevaux un épais tapis végétal pour s'étendre. Les odeurs de résine embaumaient leurs rêves.

Jeremy commençait à trouver sa place dans le groupe. Pommelle, Cheval fou et Pie rouge formaient son voisinage. Et Chaman n'était jamais loin. Vers la fin de la nuit, la brume noyait la prairie. A peine réveillées, Pie rouge et Pommelle s'amusaient à s'y perdre. Cheval fou et Jeremy partaient à leur recherche et disparaissaient à leur tour dans la mer de coton. Ils jouaient à se poursuivre en se guidant aux bruits de leurs sabots jusqu'à ce que le soleil donne enfin. Leurs têtes émergeaient du brouillard pendant que leurs corps restaient noyés jusqu'à l'encolure ; ils buvaient le soleil comme des nageurs la tête hors de l'eau.

Jeremy apprenait à connaître le groupe. Cavale blanche en était le chef incontesté. Elle s'était montrée sévère avec lui. Mais c'était grâce à elle qu'il avait appris à connaître sa vraie valeur, ce qu'il était en mesure de faire et ce qui demeurait encore hors de sa portée. Elle l'appelait Jeremy cheval et elle avait raison. Il était loin de mériter le nom de Cheval noir. Pourtant, grâce à ses amis, il faisait de rapides progrès. L'attaque des pumas avait révélé ses capacités. Il avait échappé à leurs griffes et s'en montrait très fier. Sa course, depuis, s'était améliorée. Il lançait des défis à Pommelle et Pie rouge. Il s'exerçait aussi avec Flamme, mais le bel étalon avait toujours le dernier mot.

Chaman continuait de lui prodiguer des conseils. Il était toujours là au bon moment. Pour passer une rivière par exemple. Elles étaient belles et larges, mais très sournoises. Les bancs d'alluvions constituaient de vrais pièges, car ils pouvaient s'effondrer sous votre poids et vous conduire à la noyade. Chaman lui enseignait les signes qui permettent de rester aux aguets : la couleur de l'eau, les algues peignées en longues chevelures par le courant, les endroits où la rivière se hérisse de mille aigrettes, les tourbillons sombres. Jeremy se montrait attentif ; il se rappelait que dans sa vie chez les humains, il avait bien failli mourir noyé.

Mais d'autres pièges les attendaient dans les hautes herbes ou dans les étendues arides. Pièges mortels auxquels Jeremy, un jour, faillit se laisser prendre. Sans l'intervention de ses amis, il n'en serait pas sorti vivant. Voici comment la chose arriva.

C'était midi. Cavale blanche avait regroupé les apaloosas au pied d'une falaise qui leur offrait son ombre. Pris par une subite envie de montrer son indépendance, Jeremy se lança dans l'éboulis que l'érosion avait accumulé en forme de cône à la sortie d'une entaille dans la roche. Terrain peu propice

aux déplacements et que les apaloosas évitaient avec soin. Il grimpa
assez facilement, mais faillit se tordre
les pattes quand il voulut amorcer la
descente. Les cailloux roulaient sous ses pieds, le
déséquilibraient, lui blessaient cruellement les paturons. Il s'attendait à entendre monter dans sa tête
les remontrances de Cavale blanche, mais c'était le
silence. La jument se disait sans doute que la leçon
parlerait d'elle-même. Épuisé à force de lutter, il se
laissa tomber sur le flanc et s'aperçut qu'en
remuant à peine, les pierres roulaient sous son
corps et le transportaient vers le bas comme un
tapis roulant. Il se retrouva en dehors du pierrier et
se remit sur ses pattes, tout heureux d'avoir
échappé au danger.

Il revenait vers le groupe, tout à la fois un peu
honteux et fier de lui, quand une chose soudaine se
manifesta devant lui. Cette chose était un crotale
dérangé par le remue-ménage dans le pierrier. Derrière lui, quatre autres serpents se montrèrent. Cinq
têtes jaunâtres se balançaient. Cinq langues bifides
s'agitaient, cinq queues terminées par une « son-
nette » émettaient une musique aigrelette qui témoi-
gnait de la colère des reptiles. Jeremy regardait les
bêtes fascinantes, incapable de prendre la seule
décision raisonnable : reculer très lentement. D'un

instant à l'autre, les crotales allaient attaquer et enfoncer leurs crocs dans les chairs de l'apaloosa qu'ils tenaient sous leur charme. Jeremy voyait leur étrange balancement, il en ressentait comme un endormissement. Alors on entendit un grondement sourd. Du pierrier où Jeremy avait failli se casser les pattes dévalait une vague de cailloux qui s'amplifiait à mesure qu'elle descendait la pente. Les crotales sentirent le grondement sous leur corps et déguerpirent pour ne pas se faire écraser. Sorti de sa torpeur, Jeremy cheval comprit le danger et fila sans demander son reste. L'avalanche de cailloux continua sa course sans l'atteindre. Là-haut, dans l'entaille de la falaise, deux apaloosas observaient l'avalanche qu'ils avaient déclenchée en poussant quelques grosses pierres avec leurs sabots.

– Remercie Chaman et Cheval fou, dit Cavale blanche, d'une voix neutre.

Le soir même, Jeremy cheval eut droit à son premier Conseil de discipline. Il fut placé au milieu d'un cercle formé par les apaloosas qui se mirent à tourner lentement, l'encolure basse, l'œil fixé à la terre. Ils tournèrent longtemps, plongés dans une méditation austère. Jeremy attendait le moment où s'élèverait la voix de Cavale blanche, mais ce fut une voix inconnue qui parla :

– Moi, Grand Apaloosa, je déclare ouverte la séance. Il s'agit de juger l'attitude du dénommé Jeremy cheval, qui s'est aventuré dans un pierrier sans réfléchir et s'est ainsi retrouvé dans un secteur infesté de serpents. Sans l'intervention de Chaman et de Cheval fou, il ne serait plus des nôtres à cette heure. Qu'il ait agi avec légèreté ou qu'il ait commis volontairement une grave imprudence, il devra subir des sanctions qui l'inciteront à se montrer plus réfléchi à l'avenir.

– Je demande la parole, ô Grand Apaloosa.

Jeremy reconnut la voix de Chaman.

– Il est vrai que l'attitude insensée de Jeremy cheval nous a obligés, moi et Cheval fou, à risquer notre vie pour lui venir en aide. Déclencher une avalanche de cailloux avec nos sabots est une entreprise délicate. Nous aurions pu nous rompre les os en montant aussi rapidement au-dessus du pierrier. Et pour cela, Jeremy cheval mérite une remontrance. Mais je dois plaider pour son jeune âge dans *(ici, la voix marqua un temps d'hésitation)*, dans... sa nouvelle vie *(petits rires des apaloosas)*.

Cheval fou prit le relais :

– Et j'ajouterai, si le Grand Apaloosa me donne la parole, que Jeremy
cheval a un gros handicap à cause de
sa vie que nous appellerons... *(petite
hésitation)* ancienne. De l'autre côté des montagnes,
les animaux bipèdes qui vivent dans les fermes se pro-
mènent toujours sur un apaloosa qui choisit pour eux
le meilleur chemin, et leur évite ainsi les grosses bê-
tises. *(Là, les rires fusèrent de partout, et Jeremy se
dit que la sanction ne serait peut-être pas trop sévère.)*
Jeremy cheval, ne l'oublions pas, a été pendant les
premières années de sa vie un de ces animaux bipèdes
à la cervelle embrumée par l'alcool et le tabac, et de
surcroît mangeurs de hamburgers. Cela ne l'a pas
prédisposé à avoir notre subtilité dans l'analyse des
dangers. Que seraient les bipèdes humains sans nous
autres, les apaloosas ? Chercheraient-ils à nous capturer si nous n'étions réputés pour notre vivacité et
notre subtile intelligence ?

– Cheval fou, dit le Grand Apaloosa, présente la
chose avec l'humour qu'on lui connaît de par ses
talents de poète. Quelle sanction retiendrons-nous
contre Jeremy cheval ?

– Nous devons l'exclure du groupe pour une lune,
dit une jument qui n'avait pas d'estime particulière
pour Jeremy. Le temps de lui apprendre où il doit
mettre les pieds.

– Les pumas l'auront vite dévoré, remarqua quelqu'un.

– Sans notre aide, c'est vrai, il ne survivra pas longtemps. Je propose, dit Cavale blanche, qu'il fasse des excuses publiques à Chaman et Cheval fou qui ont mis leur vie en danger, et qu'on lui donne une leçon complète sur les serpents. Il devra nous la réciter dans deux jours.

– Quelqu'un a-t-il une objection à la proposition de Cavale blanche ? demanda le Grand Apaloosa.

« Adopté », trancha-t-il après un instant de silence.

Deux jours plus tard, Jeremy récita sa leçon sur la façon de se conduire avec les serpents. Pas de problèmes quand on se déplace en nombre, car les vibrations des sabots transmises par la terre avertissent les reptiles qu'il est temps de se mettre à l'abri. Quand on est seul, on doit veiller à frapper franchement le sol pour les mettre en fuite. Et bien sûr, la règle d'or des apaloosas est de ne jamais s'aventurer dans leurs endroits préférés. Il récita encore bien des points concernant les habitudes des reptiles, au terme de quoi le Grand Apaloosa, après consultation de Cavale blanche, déclara Jeremy cheval absous de son étourderie.

Jeremy apprit à mieux connaître Cheval fou à qui il avait présenté publiquement ses excuses. C'était un cheval fantasque qui pouvait s'arrêter sans raison apparente et contempler le ciel pour le simple plaisir de voir passer les nuages. Il lui arrivait de se lancer dans des ruades soudaines en émettant d'étranges hennissements. Pie rouge et quelques autres l'appelaient Cheval poète. On savait qu'il était habité par ses ancêtres, une lignée d'inspirés qui lui avaient transmis la manière d'exprimer le secret des choses. Il pouvait célébrer les nuages, le vent, les rochers, la pluie, les orages (dont les chevaux ont une crainte superstitieuse), la terrible cruauté des pumas. Le soir, au coucher du soleil, quelques apaloosas se regroupaient autour de lui. Il racontait comment était le pays des ombres où le soleil descend pour la nuit. Il disait que les nuages qui s'embrasent de chaudes couleurs reflètent l'amour des mères pour leurs enfants, et que ceux qui prennent des couleurs sang saluent l'âme des cerfs et des apaloosas qui ont péri dans la journée ; que chaque jour passé sur la terre apporte son lot de tristesse et de joie, que même les plus petites bêtes de la prairie rient et pleurent, comme rient et pleurent les arbres et les grandes herbes de la prairie. Le langage de Cheval fou était le même que celui des autres apaloosas : mouvements subtils de la tête, des oreilles, susurrements, hennissements, bruits cadencés des sabots. Mais il tournait les choses différemment, comme personne d'autre ne savait le faire.

Mais Cheval fou savait garder les sabots sur terre pour défendre ses intérêts. Jeremy l'apprit à ses dépens. Un jour que, sans penser à mal, il flirtait avec Pommelle, montèrent derrière lui de furieux battements de sabots. Il eut tout juste le temps de se retourner pour faire face à l'attaque de Cheval fou qui s'était dressé sur ses deux pattes arrière, et battait l'air avec ses antérieures. Jeremy reçut la charge de l'étalon en pleine poitrine et s'en retrouva tout meurtri. Il recula pour éviter une seconde charge. Cheval fou s'était dressé de nouveau, pattes menaçantes et troussant méchamment ses lèvres pour dégager ses dents. Heureusement, Chaman s'interposa et Jeremy en fut quitte pour la peur. Il avait souvent vu des batailles d'étalons à la ferme Norton, mais c'était bien la première fois qu'il recevait personnellement la charge d'un mâle en colère. Chaman le prit à l'écart pour lui faire une sévère remontrance :

– Nom d'un sabot ! Le fais-tu exprès, Jeremy cheval ! Tu as des yeux et tu ne vois rien ! Tout le

monde ici, sauf toi, sait que Cheval
fou aime Pommelle !

– Excuse-moi, Chaman, dit Jeremy
encore tout estourbi par la violence
de l'attaque. Je serai plus attentif, je te le promets.

Il découvrit ainsi le réseau très subtil qui reliait
les apaloosas les uns aux autres, étalons et fe-
melles, jeunes et anciens. Il s'aperçut qu'un jeune
ne volait jamais un coin de pâturage à un ancien,
et qu'un coup de dents remettait vite l'étourdi à
sa place. Il observa le groupe des trois juments
qu'on appelait « les trois sœurs », belles et très
ombrageuses. L'une d'elles avait pris parti contre
Jeremy dans l'histoire des crotales. Il y avait aussi
deux grands étalons blanc et noir qu'on appelait
« les frères ». Tout ce monde cohabitait sous la
direction de Cavale blanche, chef incontesté, assis-
tée de Chaman le vieux sage, sous l'œil distant du
Grand Apaloosa. Jeremy se découvrit un faible
pour la jeune et belle Pie rouge. Mais depuis
la réaction de Cheval fou, il se montrait prudent.
Peut-être un des deux frères l'avait-il prise sous
sa protection. Et vu la musculature des deux étalons, Jeremy n'avait pas très envie de se mettre
dans une situation de conflit. Mais Pie rouge était
libre comme l'air, et elle prenait tous les moyens
pour le lui dire. C'était elle qui l'invitait à faire des

escapades. Rien ne la ravissait plus que de fausser compagnie au groupe dès qu'elle le pouvait. Et Jeremy la suivait, ravi d'aller à l'aventure dans la prairie en compagnie d'une pouliche aussi gaie.

*

– Nous devons être dans les Montagnes noires pour la lune des feuilles qui tombent, dit un jour Cavale blanche. Et nous ne pouvons pas prendre de retard.

– Qu'y a-t-il de si urgent ? demanda Jeremy à Chaman.

– Une troupe d'apaloosas nous attend. Et le Grand Apaloosa nous quittera pour partir avec eux.

– Il n'est donc pas bien avec nous ?

– Le Grand Apaloosa est le plus menacé de nous tous. Les Indiens le recherchent pour sa beauté fascinante. Tant qu'un chef des Nez-Percés, des Dakotas ou des Kiowas n'a pas trouvé un *medecine-hat* pour monture, on ne le considère pas comme un grand chef. Et puis, les Indiens ont appris à connaître le secret.

– Quel secret ?

Chaman hésita un instant, puis se décida :

– Les Indiens savent comme nous que ni les flèches ni les balles ne peuvent atteindre un *medecine-hat*.

– Ni les flèches ni les balles... répéta Jeremy incrédule.

– Ni les flèches, ni les balles. Elles glissent sur sa peau. Tu comprends pourquoi le *medecine-hat* est si recherché. Alors, il doit souvent changer de groupe afin de brouiller les traces. Les Indiens sont de redoutables pisteurs. En ce moment, peut-être ont-ils déjà repéré notre groupe.

Jeremy trouva la vie bien cruelle. Il avait décidé de venir parmi les apaloosas pour retrouver sa mère. Et voilà que les chevaux sauvages faisaient tout pour éviter les tribus indiennes. C'était bien sa chance ! Depuis qu'il s'était joint au groupe, il n'avait pas aperçu une seule silhouette bipède, et il était bien près de penser que la grande prairie n'était habitée que par les chevaux, les pumas, les crotales et les vautours.

Il se trompait grandement. Arrivant un jour sur les bords d'un plateau rocheux, la troupe découvrit une large rivière. Lové dans l'un de ses méandres, un village indien se dressait, une trentaine de tentes blanches décorées de peintures ocre et noires. Des fumées bleues montaient des feux. Des chevaux paissaient, des hommes et des femmes se promenaient entre les tentes, des enfants nus s'ébattaient dans la rivière.

Jeremy n'eut qu'un rapide aperçu du village, car déjà Cavale blanche ordonnait le repli. Les Nez-Percés avaient l'œil exercé ; il fallait être prudent si on ne voulait pas les voir sauter sur leurs « montures » et commencer la chasse. Jeremy était fasciné par ce village, par ces hommes, ces femmes, dont l'une était peut-être sa mère. Il les voyait distinctement malgré la distance, il entendait un groupe de femmes rire, les enfants pousser des cris de plaisir. Il aurait voulu rester caché pour les observer à loisir, voir si quelque signe providentiel ne pouvait pas le renseigner sur sa mère.

– Viens, Jeremy, c'est très dangereux de rester, souffla Pie rouge.

Déjà le groupe était loin, et la jeune pouliche se rendait compte que Jeremy ne l'écoutait pas. Elle lui mordit l'échine pour le sortir de son rêve. Il se laissa entraîner et la suivit comme un somnambule.

Il avait le cœur gros, mais il se sentait en même temps rempli d'un bonheur nouveau. Le pays qu'il parcourait avec ses amis était bien celui de ses ancêtres. Restait à trouver le moyen d'entrer en contact avec les tribus. Il songea un instant à retourner en arrière pour se montrer et se faire attraper.

Mais comment un apaloosa pourrait-il faire croire à une femme — à supposer qu'il la trouve dans ce campement — qu'elle était sa mère ? « Je n'aurais jamais dû accepter de venir avec eux, se dit-il. J'aurais dû parcourir le pays avec mes pieds d'homme. J'aurais mis toute ma vie à trouver ma mère et mon père, mais au moins j'aurais pu entrer en contact avec eux. »

La nuit suivante, Jeremy cheval fit des rêves insensés. Il était sur les bords d'un canyon et une femme se dressait sur l'autre côté. Un précipice les séparait. Au fond du précipice coulait une rivière où l'eau avait été remplacée par du feu. Des explosions régulières projetaient des langues de feu dans l'air, et la femme criait à Jeremy cheval de se protéger pour ne pas être tué par les projections incandescentes. Mais il ne se protégeait pas, parce qu'il savait que les langues de feu ne pouvaient pas l'atteindre, elles glissaient sur lui comme les balles et les flèches sur le Grand Apaloosa. Et il criait à la femme que tant qu'elle se tiendrait devant lui, rien ne pourrait l'atteindre. Une chaleur douce l'emportait dans une sorte d'extase. Au réveil, il était encore sous l'emprise de ce rêve au goût de miel. Sa tristesse de la veille l'avait abandonné. Il se dit qu'un rêve comme celui-là n'était pas venu par hasard. Un jour, il retrouverait sa mère. Il suffisait d'attendre.

Mais les événements qui se bousculèrent eurent tôt fait de l'éloigner encore un peu plus de son but. Ils longeaient une rivière et profitaient des herbes tendres quand des hurlements montèrent derrière eux. Les Nez-Percés attaquaient.

Chapitre 7

Les Nez-Percés avaient formé deux groupes pour attaquer les apaloosas sur les flancs. Leurs hurlements avaient pour objectif de semer la panique dans le troupeau ; il se trouverait bien quelques jeunes étalons ou quelques pouliches pour s'affoler et tomber dans le piège.

– Ne t'affole pas, Jeremy cheval.

Comme toujours en cas de danger, Chaman était à ses côtés.

– Nous avons une supériorité sur eux : nous sommes plus légers. Leurs montures doivent porter leur poids d'homme. Cela les ralentit beaucoup. Le danger serait de se laisser conduire où ils veulent nous emmener, vers ces montagnes à gauche par exemple.

Là, ils nous pousseraient dans un défilé et nous serions tous capturés. Quoi qu'il arrive, reste bien dans la prairie. Ne t'approche pas des montagnes.

Le poids de la menace commençait à peser sur la troupe. Les Indiens gagnaient du terrain sur la droite, ce qui poussait les apaloosas à obliquer sur la gauche et à se rapprocher du terrain sur le deuxième groupe.

Cavale blanche voyait bien le danger, mais il n'y avait pour l'instant rien à faire sinon se jeter à corps perdu dans la fuite. Elle redoutait par-dessus tout de voir se dresser devant eux un troisième groupe de Nez-Percés qui leur barrerait la route. Les Indiens étaient coutumiers de ce genre de ruse. Ce serait la débandade générale, et les pertes seraient énormes. Elle devait éviter cela à tout prix. La meilleure solution était de séparer la troupe en deux. Les Indiens seraient obligés de choisir un groupe pour garder une chance de succès. L'autre serait sauvé. Alors elle parla aux apaloosas. Sa voix était solennelle et comme ralentie pour mieux se graver dans les têtes :

– Nous allons nous séparer en deux groupes.

Je prendrai le commandement du premier, et Chaman commandera le second.

Déjà Chaman s'était porté en tête, prêt à opérer la manœuvre.

– Voici les noms de ceux qui vont suivre Chaman, les autres devront obligatoirement rester avec moi.

Jeremy qui courait au côté de Pie rouge vit passer dans son œil une lueur d'effroi. Cavale blanche commença l'appel : les trois sœurs devaient suivre Chaman, ainsi que l'un des frères, Flamme, Cheval fou, Pommelle et Pie rouge. Il y eut encore quelques noms, mais ce que Pie rouge et Jeremy redoutaient par-dessus tout arriva : Jeremy cheval restait avec Cavale blanche. Une immense détresse s'abattit sur eux. Jeremy songea à désobéir, il dirait, s'il en réchappait, qu'il s'était affolé et n'avait pas compris les ordres. Mais désobéir dans les situations de danger était une chose très grave chez les apaloosas, et Pie rouge le savait. La colère de la jument guide serait terrible ; le fautif se verrait immédiatement banni du groupe. Obéir était la règle, car la survie de tous en dépendait.

– Obéis, Jeremy cheval, supplia Pie rouge. Obéis ou nous ne nous reverrons jamais. Plus jamais, tu entends !

Il y avait tant de détresse dans la voix de la jeune pouliche qu'il se soumit. Déjà Cavale blanche obliquait vers la gauche et Chaman vers la droite. Jeremy cheval vit Pie rouge s'éloigner inexorablement. Se retournant, il constata que la manœuvre avait réussi : les Nez-Percés avaient tous choisi le groupe de Chaman. L'autre était sauvé. Mais sa satisfaction fut de courte durée, car surgit de derrière un amas de rochers une nouvelle bande de Nez-Percés qui les prit aussitôt en chasse. Leurs chevaux étaient frais, la lutte allait être terrible. Alors la rage s'empara de Jeremy cheval. Il allait montrer aux Nez-Percés ce dont il était capable. Qu'ils essaient de le capturer, pour voir ! L'idée de perdre Pie rouge redoublait sa colère. Il puisa dans ses tripes toutes les forces qui lui restaient et reprit sa course de plus belle. Il remonta le groupe, passa successivement celui des deux frères qui était resté avec eux et était à la peine, le Grand Apaloosa qui courait avec un grand calme, se retrouva derrière Cavale blanche. On apercevait au loin, sur la droite, le groupe de Chaman poursuivi par les Nez-Percés. Chaman les emmenait sur la droite de la plaine où le terrain semblait dégagé, pour éviter les surprises. Ils ne savaient pas encore que l'horreur les attendait.

Le groupe de Cavale blanche augmentait son avance sur ses poursuivants. Mais les Indiens ne les lâchaient
pas. La rage au corps, Jeremy ne res-
sentait pas la fatigue. Il cavalait avec aisance en tête
de groupe, suivi du Grand Apaloosa. Cavale blanche
et lui se retournaient de temps en temps, inquiets,
car celui des deux frères qui était dans leur groupe
montrait des signes évidents de fatigue. Une bave
verte lui sortait de la bouche, sa peau fumait. A
chaque longueur perdue, le drame se rapprochait.
Cavale blanche le savait et elle n'y pouvait rien.
Alors elle se laissa décrocher à son tour et se
retrouva à sa hauteur, au risque de se faire prendre
par les Indiens. C'était de la pure folie. Elle galopa
un long moment auprès du cheval épuisé, et personne ne saurait jamais ce qu'elle lui murmura en
guise d'adieux. Jeremy la vit remonter à sa hauteur,
pendant que le frère était rejoint par les Nez-Percés.
Un lasso le prit à l'encolure, il culbuta, les pattes en
l'air, soulevant dans sa chute un nuage de poussière.
Des cris de victoire fusèrent.

Dans le groupe de Chaman, les choses semblaient
tourner à l'avantage des apaloosas ; la distance avec
les poursuivants augmentait. Jeremy observait la
scène de loin et se réjouissait pour ses amis. Mais
soudain, des guerriers dissimulés derrière un repli

de terrain surgirent, semant la pagaille parmi les chevaux. Il frémit de terreur en pensant à Pie rouge.

– Ne te retourne pas, Jeremy, cours pour sauver ta peau. Chaman est un bon chef, il limitera les dégâts.

A la tombée du jour, les Nez-Percés avaient arrêté leur poursuite et Cavale blanche avait mis son groupe à l'abri d'une sapinière. Du groupe de Chaman, on ne savait rien. Pie rouge, Pommelle et les autres amis avaient-ils réussi à s'échapper ? Avaient-ils été tous capturés ? Incapables de trouver le sommeil, les apaloosas piaffèrent d'impatience toute la nuit. La course les avait éprouvés, ils avaient froid, la nuit était hostile. Et l'aube fut glacée.

Sous le couvert des arbres, frigorifiés, ils virent avec anxiété le matin se lever sur la prairie. Quand le soleil aurait dispersé la brume, ils pourraient mesurer l'ampleur du désastre. L'attaque indienne avait été si imprévue. Y avait-il seulement des rescapés ?

Un petit vent était venu avec le jour. Sous son action et celle du soleil, les bancs de brume s'effilochèrent. On distingua de vagues silhouettes. Nez-Percés ? Apaloosas ? Une clarté laiteuse les enveloppait ; ce n'était encore que d'intrigants fantômes, sans aucune ressemblance avec des

hommes ou des chevaux. On vit
ensuite que cela s'avançait avec difficulté. Les apaloosas voulurent se
précipiter, mais Cavale blanche leur
ordonna d'attendre jusqu'à ce qu'on soit sûr qu'il
ne s'agissait pas de guerriers sur leurs montures. Le
vent souffla plus fort, la brume se déchira, offrant à
la lumière des chevaux mal regroupés qui s'avançaient péniblement. Tous se précipitèrent à leur
rencontre. La distance empêchait de distinguer la
couleur des robes. On voyait seulement qu'ils
étaient en bon nombre. S'il y avait eu des captures,
Chaman avait réussi à limiter les dégâts.

Bientôt, Jeremy reconnut Chaman ; il reconnut
aussi le frère. Un peu plus tard, il put distinguer la
robe blanc et feu de Flamme, puis celles de Cheval
fou et de Pommelle. Mais il n'y avait pas de Pie rouge.

Jeremy ne se sentit pas le cœur d'aller à leur rencontre. Il se figea sur ses sabots, l'encolure basse, se
mit à renifler vaguement la terre pour se donner une
contenance. Tout son corps frissonnait, et la prairie
tournait autour de lui comme un manège. Quand
Flamme et Cheval fou arrivèrent à sa hauteur, il fit
l'effort de redresser la tête, vit leur lassitude, tout ce
désespoir dans leurs yeux. Tous se muraient dans le
silence, pensant à ceux qui avaient été capturés.
Chaman rendit compte à Cavale blanche : il parla

des deux sœurs qui avaient été capturées sous ses yeux.

– Et Pie rouge ? demanda Cavale blanche.

– Pas de nouvelles. Mais je ne l'ai pas vue se faire prendre.

– Elle est restée longtemps auprès de moi, dit Flamme. Puis elle s'est mise à boiter. Ils ont dû la prendre à ce moment-là.

Le chagrin submergea Jeremy. Pommelle voulut se porter à son côté, mais il lui tourna le dos. Il ne voulait pas croire que c'était fini pour Pie rouge, qu'elle allait servir de monture tout le restant de sa vie, aller à droite, à gauche sous les ordres des bipèdes. Il revoyait le moment où leurs deux corps qui couraient côte à côte s'étaient tout doucement éloignés. Finies les courses de folie dans la prairie. Il ne la reverrait plus.

Ils allaient se mettre en route quand Cheval fou encensa bruyamment. Tous pensèrent que ce n'était pas le moment de déclamer des poèmes, mais il désignait la prairie derrière eux : une forme chevaline venait d'apparaître. On ne pouvait, à cette distance, distinguer la couleur de sa robe ni rien qui pût l'identifier sûrement. Le cœur de Jeremy cheval s'était mis à battre à tout rompre. La forme se rapprochait lentement, et bientôt, il fut visible aux yeux de tous que cette forme boitait. Alors, ils partirent comme des fous à sa rencontre.

Quand elle les aperçut, Pie rouge, à bout de forces, s'arrêta. Ses jambes refusaient de la porter, sa patte avant droite était luxée. On l'entoura, on la protégea du vent. Son regard fixe conservait les traces de cette volonté farouche qui saisit les apaloosas quand le mauvais sort s'abat sur leur monde. Jeremy fit deux pas dans sa direction et mit sa tête contre la sienne. Elle renâcla de plaisir.

– Tu es très courageuse, Pie rouge, dit Cavale blanche. Les Nez-Percés ne vont pas nous lâcher aussi facilement, mais nous saurons bien te défendre.

Ils regagnèrent le bois où ils avaient passé la nuit et Cavale blanche les autorisa à s'ébattre, le temps d'échafauder un plan. Il était clair que les Nez-Percés savaient que leur groupe abritait un *medecine-hat* et qu'ils les poursuivraient jusqu'à sa capture.

Elle appela Chaman et le Grand Apaloosa.

– Si c'est moi qu'ils veulent, dit le Grand Apaloosa, laissez-moi et filez.

– Tu veux jeter le déshonneur sur nous, répondit vertement Cavale blanche. Nous te sauverons des Nez-Percés, et te conduirons jusqu'aux Montagnes noires.

On sentait à son ton qu'il n'était pas question de revenir sur cette décision.
– Que penses-tu de la situation, Chaman ?

– Très mauvaise, répondit l'étalon. Ils ont perdu nos traces avec la nuit, mais ils vont vite les retrouver. Leurs chevaux ne sont plus très frais, c'est un avantage pour nous. Mais nous avons une blessée. Je ne vois pas beaucoup de solutions, une seule à vrai dire.

– Je n'en vois qu'une moi aussi, continua Cavale blanche. Elle nous conduirait vers la grande rivière.

– C'est à celle-là que je pensais.

*

A peine s'étaient-ils arrêtés que les apaloosas durent se remettre en route. Cavale blanche prit résolument vers le sud. Il n'était pas question de forcer l'allure, à cause de Pie rouge qui souffrait horriblement de son antérieure. Mais elle tenait fièrement, encouragée par Chaman, Cheval fou, Flamme, Pommelle et Jeremy cheval. Heureusement, les Nez-Percés ne se manifestèrent pas. Avaient-ils jugé que deux juments et un étalon étaient des captures suffisantes ? Se désintéressaient-ils du *medecine-hat* ? Il ne fallait pas trop y compter.

La brouillasse de la nuit avait seulement compliqué le travail des pisteurs, et c'était autant de temps de
gagné.

Les apaloosas devaient impérativement atteindre
les rives de la grande rivière avant d'être repris en
chasse. Le plan de Cavale blanche et de Chaman
était tout simplement de la traverser à la nage. De
l'autre côté était un pays où les Indiens ne s'aventu-
raient pas. On y apercevait de grandes cheminées
qui crachaient des nuages noirs et du feu ; et quand
le vent venait du sud, des bruits étranges couraient
sur la prairie comme si des géants frappaient en
cadence d'immenses tambours de peau. Chaman et
Cavale blanche ne s'étaient jamais aventurés sur
l'autre rive, mais c'était la seule solution. Là-bas, on
chercherait un refuge, en espérant que les hommes
blancs soient suffisamment occupés à faire fumer
leurs grandes cheminées pour ne pas remarquer les
apaloosas.

Cavale blanche s'arrêtait parfois, le temps de cap-
ter dans l'air le magnétisme produit par la grande
rivière. Tous suivaient en silence, le col bas. Jeremy
observait Pie rouge avec attention. Son boitement
ne s'améliorait pas. Il craignait à chaque instant
d'entendre monter les cris de guerre des Nez-Percés.
On ne pourrait plus rien pour elle.

Le soleil déclinait quand Jeremy reçut des sensations nouvelles, quelque chose de subtil qu'il n'avait jamais ressenti quand il vivait de l'autre côté des collines. Cela se humait mais n'avait pas d'odeur particulière ; cela ressemblait à une vibration, un léger grésillement qui faisait surgir dans sa tête chevaline des couleurs claires, légèrement métalliques. La grande rivière était toute proche.

La prairie finissait là où commençait l'étendue d'eau, si large qu'on eût dit un lac. Juste en face, sur l'autre rive, se dressait une gigantesque muraille de béton d'où dépassaient cinq énormes cheminées qui crachaient la nuit et le feu. Les apaloosas frémirent. Quel était ce pays où Cavale blanche voulait les conduire ? Y était-elle jamais allée ? Un pays qui produit de tels monstres crachants et fumants pouvait-il fournir un abri aux chevaux harcelés par les Nez-Percés ? Ils refusaient ouvertement de se mouiller les pattes. Quelques murmures s'élevèrent à l'encontre des décisions de Cavale blanche. Mais elle tint ferme.

– C'est la seule solution, dit-elle d'un ton autoritaire.

Elle vit qu'ils n'étaient pas convaincus :

– Fort bien ! dit-elle d'un ton aigre. Ceux d'entre vous qui veulent rester de ce côté-ci salueront de ma

part les Nez-Percés. Ils vous passe-
ront une jolie corde autour du cou,
ils vous dresseront pour faire de vous
de bons serviteurs. Vous serez chan-
gés en montures pour le restant de votre vie. Est-ce
bien cela que vous voulez ? Vous serez bien nourris
et vous n'aurez plus à vous soucier des pumas. Mais
finie la liberté et...

Elle n'acheva pas son discours. Des cris tout
proches montraient que les Indiens avaient retrouvé
leur piste :

– D'ailleurs, dit Cavale blanche, les voici.

Ils se précipitèrent ensemble dans la rivière. Le
fond se déroba sous leurs sabots, ils nagèrent. La
grande rivière de la prairie était un fleuve que sillon-
naient parfois de lourdes barques et des bateaux à
aubes. Le soir tombait, les eaux se coloraient de
couleurs pourpres. En se retournant, Jeremy aperçut une bonne trentaine d'Indiens assis sur leurs
montures qui piaffaient d'impatience. Mais les Nez-
Percés n'avaient pas l'intention de s'engager dans la
rivière qui marquait la limite de leur territoire.

La nuit tomba très vite. La coupole noire du ciel
ne s'éclaira d'aucune étoile. Les reflets des géantes
cheminées répandaient sur l'eau des flaques de feu
où se découpaient ici et là la tête et l'encolure d'un

apaloosa concentré sur sa nage. La lutte contre le courant rendait les respirations haletantes ; il fallait économiser ses forces tout en évitant d'être emporté par le courant. Mais tous avaient le désir d'échapper au destin que leur réservaient les Nez-Percés. Jeremy, en plein milieu du fleuve, pensa soudain à Flamme du temps où Norton l'enfermait dans l'enclos. Flamme l'indomptable, Flamme qui avait réussi à faire mordre la poussière au cow-boy le plus réputé de l'Idaho, du Montana et du Wyoming réunis. Et maintenant, le superbe étalon traçait la route, ouvrant l'eau de son large poitrail et laissant derrière lui un large sillon où Pommelle, Pie rouge et Jeremy se sentaient en sécurité. Les cheminées crachaient leurs fumées rouges et violacées dans le ciel d'encre. Un grondement continu passait sur le fleuve. Sans la présence de Flamme, jamais Pommelle n'aurait accepté d'approcher cette colossale montagne haletante.

Tous redoutaient ce qui les attendait sur l'autre rive, mais ils savaient que c'était leur seule chance de rester libres. Pie rouge nageait à côté de Jeremy cheval. La traversée était bonne pour sa patte ; elle retrouvait son énergie. Cavale blanche et Chaman nageaient de concert, suivis par le Grand Apaloosa. Parvenus au milieu du fleuve, ils s'entretinrent par signes à propos de la direction à prendre. Cavale blanche décida qu'il n'était plus nécessaire de lutter contre le courant. Il suffisait de nager molle-ment pour dériver en aval de la grande machinerie qui crachait le feu et la nuit. On aborderait dans un endroit désert de l'autre rive.

La nuit était encore épaisse quand ils accostèrent. Cavale blanche se mit aussitôt à la recherche d'un endroit où ils pourraient enfin se reposer. Ils croisèrent un étrange ruban noir qui résonnait sous leurs sabots, aperçurent au loin de grands rayons éblouissants qui se croisaient à vitesse folle. S'éloi-gnant dans les terres, ils se retrouvèrent dans un espace calme, planté d'érables et de bouleaux jaunes. Cavale blanche regroupa son monde et décida le repos absolu.

Ils s'assoupirent sous les grands arbres, quelques rapaces froissèrent la nuit. Pie rouge et Jeremy se couchèrent l'un contre l'autre, le corps lourd. La pouliche se montrait moins inquiète. Tranquille-ment, elle posa sa tête sur le flanc de Jeremy cheval et s'endormit aussitôt.

Chapitre 8

Une lumière grise infiltra la forêt. Les arbres formaient de vagues ombres, et cela n'était pas pour déplaire à Cavale blanche. On imaginait mal des humains se déplacer dans cette demi-nuit. On n'était pas très éloigné des cheminées géantes dont les fines oreilles des chevaux percevaient le halètement.

L'eau, la nourriture ne manquaient pas. Les apaloosas purent ainsi se reposer tout le jour. Seuls les mouvements rapides des oreilles montraient qu'ils ne relâchaient pas leur vigilance.

Jeremy ne quittait pas Pie rouge d'un sabot. Il craignait d'avoir à fuir de nouveau, car elle ne pourrait pas suivre. On ne pouvait pas espérer une guérison avant plusieurs jours. La nuit survint sans même qu'ils s'en aperçoivent tant la lumière parvenait chichement sous les feuillages.

Au matin, Pie rouge put poser sa patte par terre. Une journée entière de tranquillité aurait été la bienvenue, mais des bruits mécaniques les alertèrent. Des bulldozers géants se dirigeaient vers les arbres. Les apaloosas levèrent le camp et s'enfoncèrent dans la forêt.

Ils n'eurent heureusement pas à aller très loin pour découvrir un endroit tranquille, fait de petits lacs et de clairières herbues. Le bruit des hommes ne parvenait pas jusque-là. Personne, ils l'espéraient, ne viendrait les déranger dans cet endroit. La seule consigne donnée par Cavale blanche était de ne pas s'éloigner. Et personne ne songea à désobéir.

Ils vécurent ainsi en marge du monde le temps d'une demi-lune. La blessure de Pie rouge se guérit. La traque des Nez-Percés s'effaçait des esprits. Cavale blanche commençait à songer qu'il était temps de retraverser la grande rivière, car il fallait absolument rejoindre à temps les Montagnes noires.

Depuis quelques jours, elle avait donné la permission de se promener plus librement. Cheval fou partit avec Pommelle. Quelques heures après, la pouliche revint seule, la terreur dans le regard :

— Cheval fou s'est fait attraper, murmura-t-elle, anéantie.

— Qui l'a capturé ? demanda Cavale blanche. Calme-toi, Pommelle, et raconte.

— Dans la direction que nous avons prise, on arrive très vite à la limite de la forêt. J'ai dit à Cheval fou que ce serait bien de courir un peu dans les collines.

Pommelle avait du mal à cacher son angoisse. Elle bougeait sans cesse, trépignait, secouait sa crinière :

— On a aperçu des cheminées presque aussi hautes que celles de la grande rivière. On distinguait aussi un parc immense où des vivants étaient entassés. Cheval fou a voulu s'approcher pour voir qui étaient ces vivants. C'étaient des chevaux, des chevaux, encore des chevaux.

Ses yeux se dilataient sous l'horreur du souvenir. Elle ne savait pas qu'on pût entasser ainsi des troupeaux entiers d'apaloosas.

— Cheval fou a voulu s'approcher encore plus, et moi je le suppliais de ne pas y aller. C'est là qu'il s'est fait prendre : une voiture sans chevaux nous a pris en chasse. Il y avait des hommes avec un filet.

Pommelle ne se contrôlait plus.

– Il m'a sauvée, c'est sûr, sanglotait-elle. Il a fait exprès de rester derrière moi. Il hurlait : « Sauve-toi, Pommelle, cours, cours tout droit. »

Jeremy s'approcha de Pommelle et mit sa tête contre la sienne. Il ne savait pas trop pourquoi, mais il se sentait une assurance soudaine pour s'occuper de l'affaire.

– Ces hommes, Pommelle, tu les as vus ? Combien étaient-ils ?

– Comme les oreilles de deux apaloosas, dit-elle.

– Tu veux dire quatre.

– Quatre, oui, comme les jambes d'un apaloosa.

– Avaient-ils des fusils, je veux dire des bâtons qui crachent du feu et font du bruit ?

– Non, dit Pommelle. Pas de bâtons qui crachent. Simplement un grand filet comme ceux que font les araignées. Ils l'ont jeté depuis la voiture.

– Saurais-tu m'expliquer le chemin ?

– Oui, dit Pommelle.

– Alors, dit Jeremy, je demande à Cavale blanche la permission d'aller faire un tour par là-bas. Il faut absolument délivrer Cheval fou.

Des images très anciennes refluaient dans sa

mémoire. Quel âge avait-il ? Quatre
ou cinq ans peut-être. Monsieur Norton l'avait emmené en carriole dans
une grande ville. Ils étaient passés
devant des parcs qui retenaient prisonniers des cen-
taines de chevaux. Un peu plus loin, un tas de car-
casses pourrissait au soleil. Les rapaces se perchaient
sur les ossements comme sur des branches. Jeremy se
rappelait les têtes écorchées, grimaçantes, l'entremê-
lement des côtes, des pattes. Et cette terrible puan-
teur. Il attendit la décision de Cavale blanche qui
s'entretenait avec Chaman et le Grand Apaloosa. Il
n'attendit pas qu'elle lui donne la réponse.

– Je connais bien les habitudes des gardiens, dit-il.
Fais-moi confiance, je trouverai un moyen.

– Je ne peux permettre à personne de t'accompagner, dit Cavale blanche. Nous avons déjà perdu
l'un des frères, et deux des trois sœurs. Maintenant
Cheval fou, et toi, si tu ne réussis pas. Tu dois y
aller seul. A toi de décider.

Jeremy n'hésita pas une seconde. Il fallait
arracher Cheval fou à l'horrible mort qui l'attendait. Pommelle le regardait en silence, prête à se
raccrocher au plus petit signe d'espoir.

– J'irai tout seul, dit-il.

– Tu es sûr de ta décision, Jeremy cheval ?
demanda gravement Cavale blanche.

L'ombre d'une hésitation lui fit tourner la tête vers Pie rouge. Il vit qu'elle frissonnait. Puis elle demanda la parole.

– Nous devrions tous aller avec Jeremy, dit-elle. Comment pourrons-nous vivre encore avec Pommelle si nous ne venons pas au secours de son Cheval poète ? Je veux accompagner Jeremy cheval.

– J'ai la responsabilité de vos vies, dit durement Cavale blanche. Je permets à Jeremy cheval de tenter l'aventure, mais il est hors de question que quelqu'un l'accompagne. Est-ce bien compris, Pie rouge ? Et toi aussi, Pommelle ? Qu'on se le tienne pour dit.

– C'est compris, dirent-elles dans un ensemble parfait.

– Pommelle, s'il te plaît, explique le chemin à Jeremy cheval.

Pommelle s'éloigna de quelques pas en compagnie de Jeremy pour lui indiquer l'amorce du chemin et la direction à prendre. On les vit s'entretenir quelques instants, puis la jeune pouliche rebroussa chemin et Jeremy s'enfonça sous les arbres.

– Nous l'attendrons ici, dit Cavale blanche. Espérons qu'il réussira.

Une pluie sévère se mit à tomber, ils cherchèrent un abri sous les plus grands arbres. Quelqu'un alors remarqua que Pommelle et Pie rouge avaient disparu.

Chapitre 9

– Vous en avez mis du temps. J'ai cru que vous n'arriveriez pas.

– On a dû ruser, dit Pie rouge. Cavale blanche nous avait à l'œil.

– Assez causé, dit Jeremy. Pommelle, montre-nous le chemin.

Il ne fallut pas le lui dire deux fois. Elle prit un trot soutenu. En très peu de temps, ils arrivèrent à la lisière de la forêt. La pluie tombait dru. Devant eux s'étendait une région de collines nues où ils allaient être exposés à tous les regards. Jeremy songea à cette maudite voiture :

– La pluie nous favorise, dit-il. Il faut y aller.

Ils parvinrent au sommet de la colline d'où Cheval fou avait aperçu les enclos. Le ciel bas rendait la visibilité mauvaise, mais on distinguait les formes de baraques, avec un parc rempli d'ombres incertaines.

– Restez ici, dit Jeremy. Je vais m'approcher. Avec cette pluie, je ne risque pas grand-chose. Ils doivent tous être à l'abri.

Il partit au pas, veillant à rester le plus possible sous le couvert des replis de terrain. On entendait des hennissements et des plaintes. Il passa l'encolure au sommet d'une colline : l'enclos était tout près, rempli de chevaux pétrifiés par le froid. La pluie tombait avec violence, rebondissait sur les croupes et sur les échines délavées. Plusieurs bêtes étaient écroulées sur le flanc dans la boue, la tête orientée vers le ciel, bouche ouverte.

La pluie redoublait de violence, les plaintes avaient cessé. On entendait seulement le battement de la pluie et des bruits mécaniques qui montaient des baraques. Une lumière crue les fit soudain sortir de l'ombre. Quelqu'un venait d'allumer les ampoules électriques. Sous la guirlande d'ampoules, un tapis roulant transportait des chevaux écorchés, disparaissait derrière un mur de briques lépreuses, réapparaissait à l'étage supérieur où des hommes

les débarquaient pour les désosser.
Un étage au-dessus, des morceaux de
cadavres chevalins surgissaient dans
la lumière jaune, membres, thorax,
têtes que des hommes suspendaient aux crochets
qui passaient devant eux.

Des nausées retournèrent l'estomac de Jeremy. Il
hoqueta, crut vomir, mais se reprit très vite. Il lui
sembla apercevoir Cheval fou au milieu de toutes
ces bêtes, mais c'était inutile de chercher à le localiser avec précision. Il chercha les issues, vit qu'il
n'existait qu'une porte, faite d'un grillage tendu sur
un cadre de rondins. Un gardien, qu'il n'avait pas
tout d'abord repéré, se tenait accroupi auprès de la
porte, la tête cachée sous un imperméable. Une
lueur de briquet, des volutes de fumée malmenées
par la pluie montraient qu'il était occupé à tirer sur
une cigarette. Jeremy observa l'endroit avec attention pour s'assurer qu'il n'y avait personne d'autre.
Il aurait bien voulu savoir si la porte était cadenas-
sée, mais s'approcher était dangereux. Au moment
de l'attaque, il faudrait trouver le moyen d'ouvrir
cette maudite porte au plus vite.

Il revint vers ses amies et leur exposa la situation.
Son plan était simple : on devait attirer l'attention du
gardien pour qu'il quitte son poste. Pour cela, rien

de tel qu'une jolie pouliche venant se promener sous son nez. Il suffirait de s'approcher suffisamment pour l'intéresser tout en gardant ses distances pour ne pas se faire attraper. Pendant ce temps, Jeremy viendrait de l'autre côté et agirait.

– J'y vais, dit Pie rouge.

– Non, dit Pommelle, d'un ton décidé. C'est à cause de moi que Cheval fou est prisonnier. C'est à moi d'y aller.

Les deux pouliches attendirent que Jeremy se soit posté du côté opposé au gardien.

– Allons, dit Pommelle en tremblant. C'est le moment.

Elle partit d'un pas pesant. Mais dès qu'elle fut à découvert, son allure se transforma. Elle alla d'un pas dégagé, aligna quelques jolies longueurs de trot, risqua une belle allure amblée qu'elle agrémenta d'effets de crinière, reprit le trot. Quand elle estima être à distance convenable du gardien, elle se mit à tourner de son pas vif et capricieux, piaffa, émit quelques doux hennissements.

L'imperméable bougea, une forme humaine s'en dégagea. Pommelle s'approcha encore pour que l'homme ait tout le loisir de l'observer, puis reprit ses petits trots fantaisie, remuant la queue, la crinière, relevant la tête de belle manière en poussant de petits hennissements.

Le gardien fit quelques pas dans sa direction. C'était un homme ventru, qui semblait fatiguer à déplacer sa graisse.

– Vas-y, murmurait Pie rouge à l'intention de Pommelle, minaude, tu vas finir par le déplacer, ce gros tas de viande.

Pommelle allait et venait, hennissait, se lançait dans des ruades espiègles.

Le gardien s'avança, elle recula. Il l'appela, allongea la main ; elle fit semblant d'approcher, puis reprit ses distances.

– Tout doux, allez ma belle. Sois sage.

Quand il l'estima assez loin, Jeremy se dirigea vers la porte. C'est alors que Pie rouge, qui ne perdait rien de la scène, sentit l'effroi fondre sur elle. Un autre garde se tenait accroupi de l'autre côté de la porte. Personne ne l'avait vu ! Un repli de terrain devait le masquer car Jeremy cheval continuait d'avancer comme si de rien n'était. Pie rouge prit une décision immédiate : elle courut vers l'enclos en hennissant pour avertir Jeremy du danger. Il comprit aussitôt et rebroussa chemin. Une chose restait à faire : attirer ce nouveau gardien. Pie rouge y mit toute sa grâce. Elle minauda, fit l'effarouchée, émit des sortes de roucoulades, fit la timide, renâcla ; toute la panoplie surgie de son âme inventive y passa. Le gardien se laissa très vite aguicher. Il déplaçait comiquement sa graisse qu'il avait aussi abondante que son compère. Les deux hommes couraient en soufflant après les deux pouliches qui continuaient de faire les belles.

Jeremy poussa un soupir de soulagement et revint sans bruit vers la porte de l'enclos. Cheval fou l'avait aperçu, car il attendait derrière le grillage :

— Jeremy cheval, dis-moi que je rêve !

— Tu ne rêves pas, non, mais faisons vite. Cette maudite barre me résiste.

La porte était fermée par un bouleau mal équarri posé sur des supports métalliques. Jeremy cherchait à la faire sauter à coups de tête, en vain.

— Une seule solution, dit-il. Recule-toi.

Il se retourna et, d'une ruade explosive, fit voler le morceau de bois dans les airs. Aussitôt Cheval fou poussa sur la porte qui s'ouvrit toute grande. Les autres chevaux, étonnés, mirent quelques instants à le suivre. Et les gardiens, qui venaient de comprendre la ruse, revenaient vers l'enclos en soufflant comme des phoques.

Il y eut encore quelques instants d'hésitation parmi les chevaux, mais voyant Cheval fou cavaler de l'autre côté de l'enclos, ils
comprirent que la liberté était là. Les gardiens
arrivèrent à la porte au moment où les chevaux s'y
précipitaient. Ils furent renversés et piétinés par la
horde.

Déjà, les quatre apaloosas étaient loin. « Youpi »,
hennissait Pommelle ! « Youpi », répondaient les
trois autres en écho. Jamais ils n'avaient galopé
aussi vite, pas même devant les pumas. La forêt
leur tendit bientôt son abri.

*

Ils approchaient de l'endroit où le groupe les
attendait, et les deux pouliches redoutaient l'accueil
qu'on leur réserverait.

– Que va-t-il se passer pour nous deux ? demanda
Pie rouge à Pommelle.

– Il ne se passera rien, dit Jeremy, sûr de lui. Sans
vous, je n'aurais jamais réussi.

Des hennissements de joie les accueillirent. Tous
aimaient Cheval fou ; sa disparition avait jeté la cons-
ternation. Les deux pouliches s'approchèrent avec

crainte. Cavale blanche les attendait, flanquée de Chaman et du Grand Apaloosa :

– Voilà donc nos deux écervelées qui se moquent de mes ordres comme de leurs premières dents, dit-elle d'une voix glaciale.

Le Grand Apaloosa prit la parole :

– J'ai le regret de vos informer que le Conseil s'est réuni en votre absence et que la sentence est déjà prononcée. Personne ne peut revenir dessus.

Pommelle et Pie rouge gardèrent leur encolure haute pour bien montrer qu'elles ne regrettaient rien de ce qu'elles avaient fait et qu'elles étaient prêtes à entendre le verdict. Jeremy l'avait dit, sans elles, il n'aurait jamais pu réussir. Il voulut intervenir.

– Taisez-vous, Jeremy cheval, dit sèchement Cavale blanche. Vous parlerez si on vous le demande.

– Voici la sentence, dit le Grand Apaloosa. Nous avons décidé à l'unanimité de vous exclure...

(là, il marqua un temps d'arrêt et regarda ses acolytes comme pour bien s'assurer qu'ils approuvaient ses dires.)

– ... de vous exclure dans le cas où vous ne ramèneriez pas Cheval fou avec vous. Nous avons aussi décidé d'oublier votre escapade et de vous féliciter dans le cas contraire.

Des hennissements de joie fusèrent. Tout le monde se précipita
sur le groupe des quatre pour savoir
comment cela s'était passé. Pom-
melle racontait, Pie rouge racontait. Elle imitait
Pommelle en train de minauder, et Pommelle
mimait les gardiens pleins de graisse, et Cheval fou
disait l'horreur de ce qu'il avait vécu. Entendant
que les chevaux s'étaient enfuis, Cavale blanche se
fit grave :
– Nous devons filer d'ici au plus vite. Demain
matin, la forêt sera remplie de bipèdes.

Les apaloosas se remirent en mouvement et mar-
chèrent toute la nuit sous la pluie. Cavale blanche et
Chaman avaient décidé de passer la rivière en
amont des cheminées qui crachaient le feu et la nuit.
Ils espéraient trouver des rives plus solitaires. Et
cela les rapprochait du lieu de rendez-vous dans les
Montagnes noires.
Lorsqu'ils sortirent de la forêt, la lumière du soleil
les blessa. De grandes terres labourées s'étendaient
à perte de vue devant eux. On apercevait aussi des
voitures sans chevaux qui allaient vivement sur un
ruban sans herbe. Il n'était pas question de s'engager dans ces endroits fréquentés par les hommes.
Cavale blanche décida que le mieux était de rentrer

à nouveau sous les arbres et de prendre un peu plus vers le nord. On finirait bien par retrouver la grande rivière.

Les apaloosas rentrèrent sous les frondaisons qui les rendaient invisibles. Ils arrivèrent à la limite nord de la forêt vers le milieu du jour. La rivière n'était sans doute pas loin. Ils partirent au trot dans l'espace découvert pour la rejoindre rapidement.

Quand ils parvinrent à la rive, ils virent qu'elle roulait des eaux tourmentées et sales, jaunes de boue. Il avait dû pleuvoir en amont, du côté des montagnes, et le fleuve était gros de toutes ces pluies d'orage. Des arbres déracinés passaient devant eux, et aussi des branches, des rondins qui avaient dû appartenir à des cabanes emportées par la crue. Inutile d'essayer de passer. La décision fut vite prise : ils remonteraient la grande rivière à la recherche d'un gué. Et s'ils n'en trouvaient pas, ils continueraient jusqu'à ce que les eaux se calment. Ils repartirent aussitôt. Cavale blanche avait fait passer devant elle Flamme et Cheval fou en leur demandant d'entretenir un train soutenu. Ce qu'ils firent. A la tombée du jour, ils avaient mis suf-fisamment de distance derrière eux pour ne pas craindre les hommes qui parquent les chevaux. Ils purent alors prendre un peu de repos.

Jeremy et Pie rouge contemplaient la rivière en crue quand des cris leur parvinrent. Une tête et un bras émergeaient des eaux en furie. Quelqu'un se noyait ; la voix était celle d'un enfant. Le corps était entraîné à vitesse folle au milieu des tourbillons et des branchages enchevêtrés. Avant que le corps ne passe à sa hauteur, Jeremy cheval prit son élan et se jeta le plus loin possible dans le fleuve. L'enfant était roulé dans le courant, sa tête disparaissait, ressortait par miracle. Parvenu à sa hauteur, Jeremy poussa de grands hennissements. L'enfant l'aperçut et par miracle réussit à attraper sa crinière.

Jeremy lutta longtemps pour rejoindre la rive. Il devait se méfier des épaves charriées dans le fleuve en crue. L'enfant ne lâchait pas la crinière. Il réussit même à s'y agripper à deux mains pour mieux se coller au flanc du cheval.

Sur la rive, l'enfant lâcha prise et perdit connaissance. C'était une jeune Indienne, aux cheveux noirs tressés. Elle portait une robe de tissage dont les dessins étaient semblables à ceux de la couverture que Jeremy gardait à la ferme Norton. Sortie de son inconscience, elle aperçut le gros museau de l'apaloosa et tendit la main pour le flatter :

– Gentil, gentil apaloosa.

Puis elle retomba dans une semi-inconscience.

Chaman et Pie rouge rejoignirent Jeremy.

– C'est une petite Sioux, et plus précisément une petite Dakota, dit Chaman. Cela se voit aux dessins de sa robe. Nous avons passé le territoire des Nez-Percés. Nous sommes maintenant sur celui des Sioux Dakotas.

Les Dakotas ! Chaman ne se doutait pas de l'effet que ses informations faisaient sur Jeremy. Il était donc un Sioux Dakota, et dès qu'il traverserait la rivière, il foulerait le territoire de ses ancêtres. Ce sauvetage était providentiel. Le Grand Esprit des apaloosas lui était favorable.

Revenue à elle, la jeune Indienne se mit à caresser Jeremy cheval. Elle lui flattait le nez, les oreilles, lui tapotait les flancs, le caressait encore, sans imaginer quel débordement de tendresse le contact d'une petite Sioux déclenchait chez lui. Elle enferma la grosse tête animale entre ses bras fragiles, frotta sa joue contre la sienne, répétant et presque chantant : « Gentil, gentil apaloosa. » Puis soudain, vive comme le vent, elle s'éloigna en direction des terres.

– Elle doit trouver un abri pour la nuit, dit Chaman, faire du feu si possible pour se sécher. Ne t'inquiète pas pour elle, elle s'en tirera. Demain, elle

remontera la grande rivière et atten-
dra la fin de la crue pour la traverser.
A moins que ses parents ne soient
déjà à sa recherche. Ils l'ont peut-être
vue tomber dans l'eau.

La jeune Indienne avait chaviré le cœur de Jeremy.
Il avait envie de pleurer, mais de ses yeux d'apaloosa ne sortait aucune larme. Il aurait bien voulu
suivre la jeune Indienne. A quoi bon ? Un autre plan
commençait à se dessiner dans sa tête. Un plan pour
retrouver sa mère au plus vite.

Chapitre 10

La grande rivière se calma, les eaux commencèrent à baisser. Les apaloosas trouvèrent un gué et passèrent sans difficulté sur l'autre rive. Jeremy sut qu'il garderait toute sa vie le souvenir du moment où ses sabots avaient foulé le sol des Sioux Dakotas.

L'immense prairie s'étendait à nouveau devant eux, avec ses pumas, ses aigles et ses vautours, ses campements indiens. Après tout ce qu'ils venaient de vivre, cette terre leur semblait être le paradis. La pluie avait cessé. L'herbe était bonne, l'eau abondante. Cavale blanche conduisait mollement son groupe. Ils étaient dans les temps pour le rendez-vous des Montagnes noires. Celle des trois sœurs qui avait échappé aux Nez-Percés était grosse. On la laisserait pouliner dans le calme.

Elle mit bas quelques jours après, au milieu de la prairie : deux jeunes poulains qu'avec son nez, à peine sortis de son ventre, elle invita à se lever. Ils étaient tout humides et plutôt flageolants sur leurs pattes, mais déjà prêts pour les grands raids qui font le plus clair de la vie des apaloosas. Ils donnaient de sérieux coups de tête dans les mamelles de leur mère pour boire. Ces deux nouveau-nés firent planer sur le groupe un air de gaieté.

Un matin pourtant, l'un d'eux ne se réveilla pas. Il était mort dans la nuit. La jument le renifla puis se détourna, suivie du petit survivant. Les autres s'éloignèrent sans même le regarder. Jeremy s'attarda devant le petit cadavre tout fripé, aux yeux vitreux grands ouverts. L'indifférence des autres le révoltait.

– Qu'espères-tu donc, Jeremy cheval ? maugréa Chaman qui venait de le rejoindre. Tu croyais peut-être que les apaloosas mènent la vie douillette de vous autres, les humains ! Regarde la prairie, c'est notre royaume. Lève les yeux au ciel, les vautours tournent déjà. Demain, il ne restera rien du petit

cadavre. Les coyotes auront rongé
jusqu'à ses os.

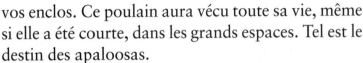

— C'est horrible, dit Jeremy.

— Moins horrible que de finir dans
vos enclos. Ce poulain aura vécu toute sa vie, même
si elle a été courte, dans les grands espaces. Tel est le
destin des apaloosas.

Jeremy médita les paroles de Chaman. C'était la
première fois que le vieux sage l'assimilait aux
humains en disant « vous autres ». Il fut d'abord
tenté d'y voir du mépris. Mais peut-être après tout
Chaman le redonnait-il à sa vraie nature. Il devinait
bien que Jeremy ne faisait que passer dans le monde
des apaloosas.

Depuis sa rencontre avec la petite Sioux, il n'avait
d'ailleurs plus qu'une idée en tête : retrouver sa
mère. Il fallait pour cela qu'au lieu d'éviter les campements indiens, il s'en rapproche, les visite tous,
un à un, dans l'espoir qu'un signe vienne lever le
secret de ses origines. Il songea à quitter le groupe.
Il partirait de nuit, sur la pointe des sabots, pour
limiter la peine qu'il ferait à la troupe et surtout à
Pie rouge. Mais il se reprocha aussitôt cette idée.
Comment pourrait-il quitter ses amis sans les
remercier ? Pie rouge méritait-elle un tel traitement ?
C'était bien la dernière à qui il aurait voulu faire de
la peine. Il traînait dans sa tête tous ces problèmes,

quand Cheval fou, un jour qu'ils couraient dans la prairie, se porta à son côté :

– Tu n'es pas heureux, Jeremy cheval.

Il essaya de nier.

– Non, insista Cheval fou, depuis que tu as rencontré la petite Sioux, tu n'es plus heureux. Je te connais assez pour le savoir. Pourquoi ne dis-tu rien ? Crois-tu que nous autres, les apaloosas, nous ne pouvons pas comprendre ton problème ?

– Je ne voudrais faire de peine à personne, dit Jeremy.

– Mon père disait qu'un apaloosa ne peut pas se baigner dans deux rivières à la fois. Tu dois choisir, Jeremy cheval. Même si cela fait de la peine. Le pire, pour toi et pour les autres, serait de rester dans l'indécision.

Jeremy se taisait.

– Tu penses à Pie rouge, n'est-ce pas ? Laisse-moi te dire que tu lui fais une grande offense en pensant qu'elle ne supportera pas ton départ. Elle sera triste, c'est vrai, mais elle se reprendra. Les apaloosas ont un sens très pratique de la vie et ne se perdent pas dans des pensées romantiques — sauf moi, parfois, voilà pourquoi on m'appelle Cheval poète. Ils vivent dans le présent, ne se soucient pas plus de l'avenir qu'il ne faut. Pie rouge est ton amie, elle

aimerait bien que tu restes avec elle.
Mais elle comprendra ton départ.
Suis ton chemin, Jeremy cheval. Tu
es venu chercher une source, tu ne
seras pas en paix tant que tu ne l'auras pas trouvée.

Alors Jeremy se décida à parler. Un soir, au
moment où les apaloosas tenaient généralement
leurs conseils, il demanda la parole. Cavale blanche
la lui donna.

— Je voudrais, commença Jeremy, je voudrais dire
que je vous aime tellement.

Les apaloosas comprirent que ce qu'il allait leur
annoncer était d'importance. Ils s'attroupèrent.

— Et je crois bien, oui, je crois bien que je vais
avoir beaucoup de peine quand je vais vous quitter.

Il y eut un silence. Pas un bruit de sabot, pas un
mouvement de queue ni de crinière.

— Je suis venu ici pour chercher une source, dit-il
en remerciant intérieurement Cheval fou de lui prêter ses mots. Et je ne serai pas en paix tant que je ne
l'aurai pas trouvée.

— Nous connaissons tous ton histoire, Jeremy
cheval, dit Cavale blanche. Le grand aigle nous l'a
racontée. Si nous t'avons accueilli parmi nous, c'est
pour t'aider à trouver la source, non pour t'empri-
sonner dans une vie qui n'est pas la tienne. Ton
destin est de retrouver les tiens.

On entendit alors monter la voix de Pie rouge :

– Chasse la peine de ton cœur, Jeremy cheval. Nous savions tous que tu ne resterais pas parmi nous. Fais comme moi, garde le souvenir heureux de toutes ces lunes que tu auras passées en notre compagnie.

– Nous ne te demandons qu'une seule chose, dit la jument qui avait pouliné. Quand tu reviendras dans ta vie de bipède, n'oublie pas d'être bon avec les apaloosas.

– Je propose, dit Chaman, que deux d'entre nous accompagnent Jeremy cheval dans sa recherche. Il devra s'approcher des campements sioux. Tout seul, il commettrait des imprudences.

– Tu as raison, Chaman. Je pense que tu dois aller avec lui. Depuis des lunes, tu prépares Cheval fou pour qu'il prenne ta succession. Ce sera l'occasion de le mettre à l'épreuve. Nous pouvons encore t'accorder un compagnon de voyage. Quelqu'un veut-il se proposer ?

– Moi, dit Pie rouge.

– Vous partirez demain, conclut Cavale blanche. Nous allons vers les Montagnes noires, il vous sera facile de nous rejoindre.

Ils partirent aux aurores, cavalèrent en direction du nord où Chaman pensait découvrir les campe-

ments des Sioux Dakotas. Il fallait se
presser, car c'était le temps où les
Indiens changeaient d'endroit pour
se rendre dans leurs campements
d'hiver. Jeremy ressentait toute la solennité de ce
raid en compagnie de Chaman et de Pie rouge. Il
avait cru que vivre avec les apaloosas l'empêchait
de réaliser son rêve, et voilà qu'ils mettaient toutes
leurs forces pour l'aider. Pie rouge et lui savaient
qu'ils se sépareraient bientôt, mais la jeune jument
ne transformait pas ce savoir en tristesse. Elle vivait,
respirait, elle était gaie. Ils avaient tous ces jours
devant eux, et la grande prairie sous un ciel intense.
Sous le regard complaisant du vieux Chaman, ils se
lançaient dans des courses de plaisir, ou bien encore
s'amusaient à débusquer les perdrix dans les hautes
herbes. Pie rouge adorait aussi patauger dans les
cours d'eau pour voir les truites s'enfuir devant elle.
Jamais comme en ces jours d'intimité avec les deux
apaloosas, Jeremy n'avait compris combien la prairie est immense et combien grande la liberté.

Le magnétisme d'une rivière vint flatter leurs
narines. Ils s'approchèrent avec prudence. Chaman
décida d'escalader un escarpement. D'en haut, on
localiserait facilement les campements dakotas. Ils
aperçurent d'abord un ours à l'affût dans la rivière.
C'était le plus dangereux des ours, un énorme grizzly

mâle, souple comme un jeune faon. Il fixait attentivement le courant, et se lançait soudain, vif comme l'éclair, dans des gesticulations comiques, claquant l'eau avec ses énormes pattes, y plongeant la tête pour la ressortir avec une truite dans la gueule. Alors, il remontait sur l'herbe pour dévorer le poisson délicatement, délaissant une grande partie du corps pour se concentrer sur la tête et sur la cervelle qui semblait être son plat préféré. Tout en admirant l'agilité du gros mâle, les trois amis observaient l'horizon. Au loin, des fumées trahissaient la présence d'un campement.

– C'est ton affaire, maintenant, dit Chaman. Nous t'attendrons ici.

Jeremy partit dans la direction du campement. Il l'aperçut bientôt en contrebas, lové dans le méandre de la splendide rivière. De nouveau s'offrit à lui le spectacle d'un village indien, avec ses tentes, ses feux, les enfants, les femmes, les hommes, les chevaux. La rivière favorisait la propagation des sons. Des cris, des éclats de rire, des morceaux de conversation parvenaient en bouquet jusqu'à ses oreilles. Il se laissa pénétrer par cette langue qu'il ne comprenait pas ; elle réveillait en lui des sonorités endormies, quelque chose comme un babil très ancien, oublié. Il n'arrivait pas à détacher son regard de ces tentes, ces poteaux peints, ces chevaux au repos, ces enfants qui couraient, ces anciens en train de fumer le calumet. Il ressentait l'étrange impression que chacune des images captées par ses yeux était secrètement gravée dans son âme. Ce que voyaient ses yeux redonnait des couleurs et des formes aux sensations obscures, aux morceaux de souvenirs atrophiés, enfouis sous des années d'absence.

Longtemps, au risque de se faire repérer, il demeura à se remplir les yeux et les oreilles du village sioux. Et parfois, les souvenirs sans mots et sans images étaient si intenses qu'il en suffoquait et que des larmes lui coulaient sur les joues. Heureusement, il était seul. Quel humain aurait pu croire qu'un apaloosa pût pleurer !

Jeremy ne pouvait rien faire d'autre qu'observer de loin le village. Il attendit pour voir si un signe allait se produire, casser cette distance qui existait entre lui et les Sioux. Tant que cette distance serait là, il ne pourrait rien faire d'autre qu'attendre. Il leva les yeux au ciel mais ne vit aucun aigle, aucun vol d'outardes ni d'oies des neiges. Alors, il retourna vers Chaman et Pie rouge qui l'attendaient là-bas, observant le gros ours à l'affût dans la rivière, prêt à assommer les truites qui passaient à portée de ses pattes monstrueuses.

Il fut bien inutile de demander à Jeremy cheval s'il avait trouvé quelque chose. Sa mine défaite parlait d'elle-même. Mais on n'en était qu'au début de l'enquête, et Chaman se disait qu'il y aurait bien d'autres campements sioux. C'est pourquoi, sans plus de commentaires, le trio reprit sa route, visitant en une demi-lune plus de quinze campements. Chaque fois, Jeremy s'approchait seul, chaque fois il revenait la mine déconfite.

Pie rouge souffrait pour son ami qui devenait taciturne. Pendant leurs déplacements, il perdait toute joie de vivre, abattu qu'il était par tous ces échecs. Elle essayait bien de le faire revenir à l'insouciance des belles journées passées ensemble, mais rien n'y faisait. Il allait d'un pas lourd, l'encolure basse, obsédé par le signe qu'il attendait et qui ne venait pas. Pie rouge se prenait à rêver que le signe lui était donné à elle pendant que Jeremy cheval était parti vers le village. Elle voyait apparaître dans le ciel un aigle qui lui apprenait ce que Jeremy devait faire pour retrouver la source. Mais d'aigle, point. Le ciel était d'un bleu profond, et la prairie si belle que rien ne semblait devoir jamais y changer. Jeremy cheval

ne trouvait pas la porte pour s'intro-
duire dans le monde après lequel il
soupirait.

La lune des feuilles qui rougissent approchait, et
Chaman s'apprêtait à prendre la décision qui s'imposait : rejoindre Cavale blanche dans les Montagnes
noires. Il faudrait bien que Jeremy accepte son échec.
Il décida d'aborder le problème avec lui :

– Nous ne pourrons plus attendre longtemps,
Jeremy cheval. Le rendez-vous dans les Montagnes
noires ne peut être remis en cause, tu le sais.

– Je le sais, répondit-il tristement.

Il était accablé par ces visites infructueuses. De
campement en campement, il apprenait à mieux
connaître les Sioux, mais chaque fois, le signe qui
ne venait pas le rejetait plus durement hors du
monde qu'il cherchait. Le ciel, le vent, la terre restaient muets. Il se désespérait et se demandait
comment il pouvait se montrer aussi naïf en espérant un signe capable de lui indiquer la femme qui
était sa mère. Était-ce la confiance innée des apaloosas dans le ciel, dans le vent, dans la terre et l'eau
qui le rendait aussi crédule ?

Seule la nuit apportait la paix. L'obscurité les rapprochait. Ils s'offraient mutuellement la chaleur de
leurs corps pour lutter contre la bise de ce début

d'automne. Chaman leur expliquait le ciel. Les quatre grandes étoiles qui formaient un carré délimitaient la prairie où couraient les apaloosas disparus. Parfois, l'envie les prenait de sortir des limites, comme on le fait aussi sur terre. Le Grand Esprit des apaloosas fermait les yeux et les laissait faire. Les petits bouquets d'étoiles disséminés un peu partout étaient des touffes d'herbe qu'il semait à leur intention.

Au rythme de sa respiration tranquille, Chaman disait encore bien d'autres choses qui finissaient par s'éteindre en un doux ronronnement aux oreilles de Pie rouge et de Jeremy cheval. Ils s'endormaient l'un contre l'autre. Et le vieux sage les observait d'un œil imperturbable avant de glisser dans le sommeil à son tour.

La neige les surprit un matin. Elle était venue timidement sur la fin de la nuit, saupoudrant d'un blanc vif les feuillages jaunis de l'automne, les verts obscurs des mélèzes, s'accrochant aux aspérités des grandes falaises ocre.

– Elle va s'en aller, dit Chaman. Mais dans quelques lunes, elle reviendra.

Ils la virent disparaître à mesure qu'ils avançaient. Elle avait apporté avec elle une fraîcheur de l'air qui pénétrait dans les poumons jusqu'à l'ivresse. Jeremy cheval et sa compagne traînaient derrière Cha- man. « J'ai rêvé », dit soudain Pie rouge. Elle laissa passer un long temps et reprit : « J'ai rêvé. C'était un très beau rêve. » Puis elle se lança dans une course effrénée comme pour chasser ce rêve qu'elle ne voulait pas raconter. Elle esquis- sait des ruades nerveuses, se dressant sur ses anté- rieures en secouant la crinière comme pour chasser un esprit qui l'avait pénétrée. Jeremy la rejoignit, mais n'osa pas l'interroger. Sans doute le rêve de Pie rouge était-il très intense et très douloureux, comme sont les très beaux rêves. Chaman les ob- servait de son œil impassible. Il n'avait pas besoin non plus d'interroger la jeune jument pour deviner quelle était la nature de son rêve.

C'est le soir, seulement, tandis que Chaman avait fini de parler des étoiles, que la voix de Pie rouge monta doucement dans la tête de Jeremy allongé auprès d'elle :

– J'ai rêvé que je venais avec toi, Jeremy, dans les collines que tu appelles Cloudy Hills. Tu m'as dit au revoir et tu as passé la crête pour rentrer dans le pays des fermes, mais moi, de loin, je t'ai suivi. Et j'ai passé la crête à mon tour. Il y avait là un groupe de bipèdes, avec toi, Jeremy, au milieu. Tu t'es avancé vers moi et tu m'as dit : « Nous t'attendions, Pie rouge. Le grand aigle nous a dit que tu voulais te joindre à nous pour toute la vie. Alors, dresse-toi sur tes deux pattes arrière et avance. Viens nous donner la main. »

Pie rouge se tut, mais Jeremy l'entendit respirer de façon saccadée, elle ne trouvait pas le sommeil.

Lui non plus ne pouvait pas dormir. Il était très ému par le rêve de Pie rouge, et plus ému encore qu'elle lui ait raconté ce songe comme seule la nuit en apporte quand elle gomme les frontières, fait danser ensemble les animaux de la forêt, chanter les poissons dans la mer, revenir les morts auprès des vivants pour un grand repas de fête. Et quand on se réveille au matin, c'est une trace de feu dans la tête, un feu qui se consume à mesure que la lumière du jour se lève, jusqu'à ne laisser que des cendres.

Voilà pourquoi Pie rouge respirait si fort et ne pouvait pas trouver le sommeil : elle avait ce goût de cendres en elle, les images encore chaudes de ce rêve si beau que rien ne peut ressusciter, pas même une autre nuit.

Ils avaient trouvé un abri où le vent ne viendrait pas les importuner. Une belle colline se dressait au loin, derrière laquelle la lune fit soudain son apparition. Elle montait dans cet espace bleu-jaune que délimitait le haut de la colline sombre. Allongé sur un tapis de feuilles, Jeremy gardait les yeux ouverts sur la lune. Pie rouge s'était pelotonnée auprès de lui, son flanc contre le sien. Par toute leur peau ils échangeaient des impressions muettes, toutes ces choses qui vous font chaud ou froid au cœur et qui n'ont pas besoin de mots. Jeremy était fasciné par cette pleine lune. Il la détestait sans trop savoir pourquoi, mais en même temps, il ne pouvait pas détacher ses yeux de sa face ronde, parfaitement circulaire, épanouie et énigmatique comme un visage de Bouddha. Il resta toute la nuit à la regarder et quand ses yeux remplis de sommeil commençaient à se fermer, le bruit du vent dans la forêt, l'appel d'un crapaud, les cris plaintifs d'un coyote le maintenaient en éveil. Un ensorcellement de toute la prairie se faisait complice de la lune.

Au matin, Pie rouge et Jeremy dormaient profondément l'un contre l'autre. Chaman dut s'ébrouer bruyamment pour les tirer du sommeil.

– Nous avons encore tout le jour pour rechercher les Dakotas, dit-il. Mais après, nous devrons prendre la direction des Montagnes noires.

– Je suis trop fatigué, dit Jeremy. Nous avons déjà trop cherché. Je veux me reposer.

Mais Pie rouge n'était pas de cet avis et le lui fit rudement savoir :

– Chaman a dit que nous avons encore toute la journée. Tu entends, Jeremy ? Chez les apaloosas, on ne connaît pas les caprices.

Ils repartirent vers la grande rivière pour la remonter toujours plus vers l'amont. En chemin, Chaman s'arrêta, et Jeremy se demanda bien ce qu'il observait, car il ne voyait absolument rien.

– Un aigle, souffla Pie rouge. Cette petite étoile noire là-haut, tu la vois ?

Chaman orienta sa marche sur l'aigle. Ils franchirent quelques collines et s'approchaient de la rivière quand le vieux sage s'arrêta :

– Tu dois y aller seul, maintenant.

Jeremy franchit une colline, puis une autre avant que la rivière se découvre sous ses pieds. Un campement sioux se dressait sur la rive. Il rechercha le meilleur endroit pour l'observer en toute sécurité et se déplaça, dans ce but, vers un petit vallonnement ; une femme sioux s'y trouvait. Elle avait étendu sa lessive sur l'herbe, au soleil, et s'apprêtait à redescendre vers le village. C'est alors qu'elle le vit.

Ils étaient face à face, la femme sioux et l'apaloosa. Jeremy cheval ne regardait pas la femme mais la lessive étendue au soleil. Il y avait là une

couverture faite de dessins sioux
ocre et noirs, une couverture dont un
grand bout rectangulaire manquait.

La femme avait marqué un temps
de surprise devant cet apaloosa qui n'était pas une
monture et osait pourtant s'approcher des humains.
Maintenant, elle l'observait avec attention, immobile, les yeux intensément affairés à examiner
chaque détail de l'animal. Quelque chose était là et
pourtant lui manquait, comme un mot sur le bout
de la langue, une chose qu'on cherche désespéré-
ment à reconnaître, l'ombre de souvenirs confus
qu'on aimerait ramener dans la lumière.

Et l'apaloosa demeurait immobile lui aussi,
n'éprouvant aucune crainte envers cette femme
sioux qui aurait pu en un clin d'œil donner l'alerte
pour le convertir en monture, et c'en était fini de sa
liberté. L'avait-elle vu fixer la couverture ? Il ne
savait plus détacher son regard de cette femme. Elle
était vêtue d'une robe tissée, lacée de cuir, portait
un collier de pierres bleues, des bracelets de petites
perles. Ses cheveux noirs étaient tressés en longues
nattes terminées par deux rubans de cuir rouge.
Sa peau mate, ses cheveux noir charbon l'émou-
vaient jusqu'aux larmes. Il haïssait la barrière qui
les séparait elle et lui, cette barrière que Pie rouge
avait effacée dans son rêve si douloureux. Il aurait

eu tant à dire à cette femme, et il en était incapable. Seul le fait qu'il s'était approché d'elle sans la moindre peur parlait pour lui. Elle en était tout étonnée, déjà sans doute elle y devinait un message.

Débouchant d'un sentier qui serpentait dans la falaise, un homme fut soudain au côté de la femme. Il voulut porter les mains à sa bouche pour avertir les autres et déclencher une implacable chasse à l'apaloosa, mais elle lui retint le bras. Elle semblait n'en pas vouloir finir de regarder l'apaloosa, à la recherche de traits enfouis dans ce visage chevalin, ce nez, cette bouche comme entravée, ces yeux comme privés de pleurs et de rires, qui seulement sourcillaient. Elle faisait un effort intense pour comprendre la fascination que cette tête de cheval exerçait sur elle. Il y avait cet aigle là-haut, qui savait peut-être ce qu'elle cherchait à faire revenir au jour. Et Jeremy, en cet instant, aurait donné tout l'or du monde pour savoir quelles images, quels cris, quels pleurs d'enfant remontaient en elle tandis qu'ils étaient face à face.

Le cœur de Jeremy cheval chavira. Il se noyait délicieusement dans de grandes vagues d'eau transparente, profonde à en faire peur. Il s'y noyait pour mieux en ressortir, se laissait envahir pour émerger la tête lavée, le corps revigoré, un goût de sel à la bouche.

Jeremy ne sut jamais comment il trouva la force de partir. Était-ce la femme qui avait décidé la première de se détacher, ou l'homme à son côté? Il reprit le chemin des collines. Se retournant une dernière fois, il lui sembla qu'elle levait un bras dans sa direction.

Il rejoignit ses deux amis apaloosas sans se presser, sans même craindre une alerte dans le camp des Sioux. Chaman et Pie rouge l'attendaient à l'endroit où il les avait quittés.

– J'ai retrouvé la source, dit-il.

Chapitre 11

Chaman et Pie rouge regardaient leur compagnon comme s'il s'était déjà éloigné d'eux. Pas de regrets, pas de tristesse. Ils recevaient la chose comme naturelle : Jeremy avait trouvé ce qu'il cherchait, et cela grâce à eux.

– Que vas-tu faire, maintenant ? lui demanda Pie rouge.

– Je dois rentrer chez moi très vite.

– Tu veux dire : « de l'autre côté des collines ».

– De l'autre côté des collines, oui. Mais tu as raison, ce n'est plus chez moi. Pourtant, il faut absolument que j'y retourne.

– On te comprend, dit Chaman. Seulement…

– Seulement quoi ?

– Voilà des lunes que tu parcours la prairie avec nous.

– Je saurai bien me débrouiller. J'ai appris beaucoup avec vous.

– Tout seul, tu n'arriveras jamais. Les grands froids seront là avant que tu n'aies rejoint tes collines. Dans une lune, la neige peut nous surprendre.

– Je ne veux plus attendre, dit Jeremy. Il faut absolument que je retourne là-bas, et tu sais pourquoi, Chaman. Je dois reprendre la forme que j'avais de l'autre côté des collines pour revenir ici et me faire reconnaître. Depuis que j'ai revu cette femme sioux, je veux dire… *(il eut soudain très peur que le mot ne sorte pas de ses lèvres)* ma mère.

– Écoute, Jeremy, dit Pie rouge d'un air décidé : nous sommes tous très heureux de ce qui t'est arrivé. Mais tu dois nous écouter, tu ne pourras jamais rentrer tout seul vers Cloudy Hills. Tu ne connais pas les hivers de ce côté-ci des collines. J'en ai vécu très peu, car je suis encore jeune, mais je peux te dire qu'ils sont effrayants. Écoute ce que te dit Chaman, viens avec nous au rendez-vous des Montagnes noires. Et là, avec Cavale blanche, nous aviserons.

Mais Jeremy ne voulait rien entendre.

– Non, dit-il. C'est inutile d'insister. Je ne peux pas supporter plus longtemps de ne pas retrouver ma mère ni cet homme, qui était là à son côté, et qui est peut-être mon père.

Chaman essaya encore une fois de le retenir :

– Si les Nez-Percés te capturent, jamais tu ne reverras ta mère. Après les Nez-Percés, il y aura les pumas. Et si tu échappes aux pumas, il y aura l'hiver. L'hiver est pire que les Nez-Percés et tous les pumas réunis.

Mais Jeremy ne pouvait rien entendre. Le désir bouillonnait trop en lui. Chaman comprit qu'il ne fallait pas insister.

– Alors, dit-il, ne retardons pas les adieux. Bonne chance. Tu en auras besoin.

Pie rouge s'approcha de Jeremy qui semblait avoir oublié toute présence tant l'image de la femme sioux était vive en lui :

– Est-ce que tu me vois, est-ce que tu m'entends, Jeremy ?

– Bien sûr que je t'entends, Pie rouge. Tu sais bien que je ne t'oublierai jamais.

– Moi non plus, Jeremy. Après toutes ces lunes, nous sommes frère et sœur, pas vrai ?

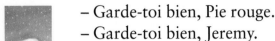 – Garde-toi bien, Pie rouge.
– Garde-toi bien, Jeremy.

Il partit comme le jour déclinait. Une lumière rase élargissait la prairie aux dimensions du ciel. Ses deux amis le suivirent des yeux pendant très longtemps, puis l'obscurité fut trop dense.

*

Jeremy filait dans la direction du levant à vive allure. Il ne sentait pas la fatigue. Il voulait arriver à Cloudy Hills avant les grands froids. Les avertissements de Pie rouge et Chaman lui revenaient en mémoire, mais il les chassait en se disant que le ciel lui avait été jusqu'ici favorable. Un jour, pourtant, un premier signe le ramena aux dangers de la prairie. Il était en train de se reposer près d'un ruisseau bordé de bonnes herbes, quand une chose l'alerta. Il redressa la tête, tourna les oreilles dans toutes les directions, ausculta le vent. En vain. Rien ne semblait avoir changé dans les parages, et pourtant la sensation d'une anomalie ne le quittait pas. Il fallut le crissement très bref d'un grillon pour qu'il découvre enfin ce qui l'avait mis en alerte. Les insectes qui pullulent dans les herbes s'étaient subitement tus. Il avait fallu ce crissement intempestif pour

qu'il le remarque. Et c'était maintenant, de nouveau, le parfait silence.

Alors monta un grondement
inquiétant. Cela sourdait de la terre,
passait en lourdes vibrations dans tout le corps. Il
fallut encore un bon moment pour que le grondement qui faisait vibrer le sol soit perceptible aussi
dans l'air. Jeremy orienta ses oreilles qui captèrent
un roulement rythmé qui lui rappela soudain le
train qui passait à Redstone.

Ils surgirent du fond de l'horizon, horde noire
ondulante, dévorant la prairie au rythme de la
course inexorable. Des milliers de bisons défer-
laient, et la terre, sous leurs sabots, vibrait comme
une peau de tambour. Jeremy pensa aux Nez-
Percés, mais pas un seul Indien n'était en vue. Un
voile de fumée claire ternissait le ciel derrière eux,
annonçant un danger encore plus redoutable : la
prairie était en feu. Derrière la horde aveugle, on
voyait maintenant se tordre de grandes flammes, se
faire et se défaire des anneaux de fumée noire,
comme le corps monstrueux d'un dragon rampant
dans les airs. Brutalement le soleil se voila ; une
fumée âcre s'abattit sur Jeremy. Des bisons, il ne
voyait plus qu'un défilé incessant de fantômes. La
terre et le ciel tremblaient. Pétrifié à l'idée que les
bisons se détournent vers lui, Jeremy tardait à

prendre une décision. La fumée lui brûlait les poumons, il se mit à courir en cherchant à se maintenir à distance de la horde. Des rafales de vent l'enveloppaient de bouffées soudaines de chaleur qui l'incitaient à redoubler sa course. Il se rappela avoir passé la nuit dans un canyon. Il y serait à l'abri du feu. Mais il devait refaire au galop tout le trajet accompli depuis le matin. Ses chances de réussite étaient pratiquement nulles.

Soudain, l'immense déferlante grossit à son côté : les bisons avaient bifurqué. Il obliqua à son tour, mais ne fut pas assez rapide pour échapper à la marée animale. Il se retrouva encerclé, poussé, propulsé comme un fétu dans la direction imposée par le troupeau aveugle. Il courait au milieu des bisons, simple goutte perdue dans la grande déferlante.

Les bisons paraissaient obéir à des lois obscures qui n'avaient rien à voir avec les ordres toujours raisonnés de Cavale blanche. Ils formaient un seul corps, fait de milliers de chairs épaisses, de fronts butés, d'échines barbares portées par la mécanique de sabots. Quelqu'un, chez les bisons, savait-il comment échapper à l'incendie ? Obéissaient-ils à leur instinct ? Il sembla à Jeremy que le ciel s'éclaircissait. Il vit sur sa droite les flammes qui continuaient leur course, poussées par le vent. Le crochet

opéré par le troupeau les avait mis à
l'abri de l'incendie. La coulée de feu
les avait dépassés.

Pesamment, la grande mécanique
s'arrêta. Du troupeau montèrent les respirations de
bêtes époumonées, ponctuées d'éternuements. Et
déjà les bisons oubliaient les flammes pour se
mettre en recherche d'un bon pâturage. Jeremy les
quitta sans qu'ils fassent plus attention à lui que s'il
n'avait pas existé. Le soir, il trouva un abri légèrement surélevé, d'où il pouvait surveiller la prairie.

La nuit était remplie d'odeurs de végétaux carbo-
nisés. Les fumées qui montaient de partout témoi-
gnaient de la violence de l'incendie parti mourir au
loin, sur les flancs de quelque montagne. Jeremy
essaya de dormir, mais une peur horrible lui nouait
le ventre. Durant l'action, il n'avait eu qu'une idée
en tête : sauver sa peau. Mais maintenant que le
danger était passé, l'horreur de ce qui aurait pu arriver lui sautait à la face. Dès qu'il fermait les yeux, il
tombait dans un trou noir sans fond, et son corps
tout raidi devenait lourd comme une pierre. Vite il
rouvrait les yeux, mais le spectacle de la prairie
ravagée redoublait son effroi. Combien de bisons,
de cerfs, de chevaux avaient péri dans l'incendie ? Il
était passé tout près du désastre. Mais ce n'était pas
tant l'idée d'avoir échappé de justesse à la mort qui

le remplissait d'effroi que celle, plus effroyable encore à son cœur, de ne jamais connaître sa mère s'il était mort carbonisé.

Le petit matin se leva sur une prairie en partie calcinée où couraient encore des flammèches et des nappes de fumée. Un relief de carcasse achevait de se consumer, deux pattes tendues vers le ciel comme des cierges noirs. Jeremy s'était montré bien fou à vouloir braver tout seul les dangers de la prairie. Chaman et Pie rouge l'avaient prévenu. Au bout des terres ravagées, il y aurait d'autres dangers tout aussi graves, l'hiver, la neige. Une bise glaciale s'était levée dans la nuit et soufflait sa froidure sur les terres encore fumantes. Étranges et terribles étendues où il avait toutes chances de se perdre, sans jamais revoir sa mère. Il s'avança jusqu'à la limite où les flammes s'étaient arrêtées, hésita, renonça. Il prit sans hésiter la direction des Montagnes noires.

*

Jeremy apprit la patience. Il accomplissait ses journées à petite allure, observant autour de lui les signes dont fourmille la prairie. Depuis quelque temps, un aigle habitait le ciel et cela lui parut être un bon présage. Le grand oiseau disparaissait puis

revenait et Jeremy, d'instinct, cal-
quait sur lui sa course. Un matin,
après une bonne nuit, il se remettait
en marche quand il aperçut au loin

une troupe de chevaux. Craignant qu'il ne s'agisse
de montures conduites par des Indiens, il se mit à
l'abri. Mais il s'agissait bien de chevaux sauvages,
trop nombreux malheureusement pour être le
groupe de Cavale blanche. Ils filaient à vive allure,
unis dans un même galop appliqué, d'une grande
efficacité. Caché derrière un bouquet de cèdres,
Jeremy allait les laisser passer quand il reconnut des
silhouettes familières, la robe de Chaman, celle de
Flamme et celle, immaculée, de Cavale blanche qui
courait en tête de la troupe. Il se cabra de plaisir et
fila les rejoindre. Ses amis revenaient des Montagnes noires sans le Grand Apaloosa, mais ils avaient
fait de nouvelles recrues. Une quinzaine de nouveaux étalons et de juments couraient derrière
Cavale blanche. Il y avait aussi Chaman, Flamme,
Cheval fou et Pommelle. Seule Pie rouge manquait
à l'appel.

Personne, à la vue de Jeremy cheval, ne s'arrêta. Il
se mit au galop auprès des anciens, et bientôt une
voix monta dans sa tête : Chaman lui souhaitait la
bienvenue. Puis Pommelle et Cheval fou vinrent à sa
hauteur et le saluèrent de quelques mouvements

d'encolure, tout en maintenant le grand galop. Cavale blanche imposait un train d'enfer ; sans doute voulait-elle montrer aux nouvelles recrues comment elle entendait conduire la troupe. Et tous, les nouveaux comme les anciens, eussent préféré mourir plutôt que de laisser paraître le moindre signe de fatigue durant cette violente cavalcade.

Ils coururent tout le jour sans pratiquement s'arrêter, sous les ordres de Cavale blanche qui dictait les allures, le trot succédant aux galops débridés. Avec intelligence, la jument guide avait évité les terres ravagées par l'incendie pour gagner des sols plus faciles vers le sud. Le soir, quand elle donna le signal de l'arrêt, sa voix monta enfin dans la tête de Jeremy :

— Tu as bien fait de nous attendre, Jeremy cheval. Sans nous, les vautours auraient vite tournoyé autour de ta carcasse. Nous allons te ramener à Cloudy Hills.

Curieusement, Jeremy se sentait libéré du respect, proche de la crainte, qu'il avait toujours éprouvé envers Cavale blanche. Il accompagna ses pas de promenade, broutant ici et là de concert avec elle.

— Je ne vois pas Pie rouge, dit-il.

— La prairie est aux apaloosas et les apaloosas sont à la prairie, répliqua sentencieusement Cavale blanche.

– Je ne comprends pas bien, concéda Jeremy.

– Tous les apaloosas sont libres comme l'air. S'ils entrent dans un groupe, ils doivent obéir strictement aux ordres du chef. Tu en as fait l'expérience, Jeremy cheval. Mais ils peuvent partir quand ils le décident. Les rendez-vous avec les autres troupes sont l'occasion de reprendre sa liberté. Pie rouge a choisi de nous quitter. Ses sabots lui dictaient d'aller voir les grandes montagnes vers l'endroit où le soleil se couche.

Jeremy se sentit tout remué par cette décision :

– Vous ne la reverrez jamais ?

– Dans la grande prairie, les chemins divergent et se croisent. Peut-être la reverra-t-on, peut-être pas. Si tu veux le savoir, ajouta-t-elle avec malice, demande à l'aigle là-haut, il te le dira.

L'aigle était ce petit point noir à peine perceptible incrusté dans un ciel tout bleu. Sans la remarque de Cavale blanche, Jeremy ne l'eût même pas repéré.

Chapitre 12

Quand arriva la lune qui sème les étoiles blanches, les terres brûlées par l'incendie se trouvaient loin derrière les apaloosas. Leurs journées étaient faites de très longs raids qui les rapprochaient de Cloudy Hills. Cavale blanche voulait y arriver au plus vite pour déposer Jeremy cheval avant de chercher un abri pour l'hiver. Le ciel était bleu métallique. Dès le matin, le soleil se réverbérait sur les milliards de facettes de givre déposées dans la nuit sur les végétaux. Les forêts regorgeaient de couleurs insolentes : bouleaux jaune paille, érables rouge sang. Les souffles formaient dans l'air des bulles de buée légère, les sabots sonnaient clair sur la terre durcie par le gel. Dans les canyons, le moindre hennissement s'amplifiait d'échos excessifs qui le transformaient en surprenants rires. Le soir, ils recherchaient l'abri de forêts pour échapper au vent cinglant.

Cavale blanche et Chaman flairaient l'atmosphère, à la recherche d'indices sur la venue de la neige. Ils ne se quittaient guère. Leur parfaite connivence rappelait à Jeremy celle qu'il avait surprise à la ferme Norton quand le grand aigle était venu visiter Flamme. C'étaient les leaders de la troupe. Personne ne regimbait, malgré le train d'enfer imposé depuis des jours.

Le froid acide des jours précédents se tempéra d'une douceur inquiétante. Cavale blanche annonça la neige pour le lendemain. Elle ne se trompait guère.

La neige les surprit dans une érablière où ils passaient la nuit. Les premiers flocons descendirent paresseusement entre les arbres. Puis ils se resserrèrent et blanchirent le sol. Quand les apaloosas sortirent de la forêt, ils enfoncèrent dans la neige jusqu'aux paturons. La longue traversée blanche commençait, et Jeremy cheval ne soupçonnait pas

encore combien il faudrait de courage pour la supporter.

Les jours qui suivirent le mirent au
supplice. Chaque nuit apportait sa
couche de neige fraîche ; au matin, la prairie était
balayée par un vent furieux qui leur glaçait les os.
Les chevaux allaient flanc contre flanc pour se garder du vent. Tous se relayaient pour faire la trace
dans la neige, car il n'était pas question de laisser
Cavale blanche et Chaman s'épuiser en tête de la
troupe. Ils secouaient régulièrement leurs crinières
pour éviter que la glace ne s'y prenne. La poudrerie
les aveuglait. Quand parcourir ces étendues blanches
et dures comme des os devenait intolérable, il fallait
regagner les régions plus boisées où, malheureusement, la neige accumulait les pièges. On devait
prendre garde aux trous et aux endroits où elle formait des amas instables.

L'inquiétude s'était glissée dans la troupe et
Jeremy ressentait quelque inimitié à son égard de la
part des nouveaux. Si Cavale blanche ne s'était pas
engagée à le reconduire à Cloudy Hills, ils auraient
gagné les forêts épaisses pour trouver de la bonne
nourriture et un abri contre le vent. Mais les nouveaux ne récriminaient pas ouvertement. Ils savaient
que la jument guide n'aurait pas hésité à les expulser
de la troupe.

– C'est à cause de moi, dit un jour Jeremy à Chaman. N'est-ce pas ?

– C'est toujours à cause de quelqu'un que la vie n'est pas aussi facile qu'on le voudrait. Sache qu'aux yeux de la troupe, tu n'es une charge pour personne, sauf pour quelques nouveaux qui apprendront bien vite comment se comporte un apaloosa.

Chaman avait raison. Au bout de plusieurs jours, les efforts répétés rendirent le groupe plus solidaire. Il n'était plus question de Jeremy, mais bien d'affronter la nature ennemie en vrais apaloosas riches de ce caractère intrépide que leur avaient transmis leurs ancêtres. Un apaloosa fait face au destin sans biaiser et ne renonce jamais. Un défi soudait la troupe de Cavale blanche : on verrait bien qui de l'hiver mortel ou des chevaux aurait le dernier mot.

La neige leur offrit un peu de répit. Les nuits furent moins douces et le ciel de jour vira de nouveau au bleu électrique. La nourriture se faisait difficile, mais on finissait par trouver quelques ramilles, ou bien, en dégageant la neige avec les sabots, des mousses et des lichens. Hommes et bêtes semblaient avoir déserté la prairie. On croisait de rares traces de lièvres ; on ne vit, de tout ce temps, qu'une grosse boule de fourrure qui laissait derrière elle la trace de ses raquettes : un Indien qui trappait. Nez-Percés et Dakotas s'étaient retirés dans leurs campements d'hiver, bien abrités dans les tipis agrémentés de chaudes fourrures. Jeremy pensait à la femme sioux. Il l'imaginait dans sa tente, assise devant un feu. Il s'imaginait entrant dans la tente, le morceau de couverture à la main. Le désir d'arriver le plus vite possible à Cloudy Hills le tenaillait.

– Sommes-nous loin, Chaman ?
– Une lune à peine.

Dans la nuit qui suivit, on entendit hurler des loups.

Ce fut un chant long et lugubre, une plainte, non, plutôt un désenchantement à l'adresse du ciel et de la terre. Le chant disait que dans leur quête de nourriture, les prédateurs seraient sans pitié. Le hurlement cessa puis revint, plus proche. Quand il fallut repartir au matin, tous se resserrèrent. On mit les pouliches au centre, les étalons sur les flancs et en arrière-garde.

Pendant plusieurs jours, on n'entendit plus les loups. Sans doute avaient-ils trouvé quelque gibier capable de satisfaire leurs estomacs voraces, cerf ou

daim, plus facile à tuer qu'un apaloosa. Mais chacun pensait à ce qui
arriverait si la meute se retrouvait
privée de nourriture. Les instincts
des chevaux multipliaient les antennes sur leur
peau. Ils devenaient nerveux, irritables.

Cavale blanche savait bien qu'affronter les loups
était une autre affaire qu'échapper aux pumas. Les
meutes se déplaçaient sur des distances supérieures
à celles des chevaux. On les apercevait, on croisait
leurs traces, puis rien. Quelques jours après, pour
peu que la neige se montre tenace, on croisait de
nouvelles empreintes. La nuit, des yeux flam-
boyaient. Inutile de songer à rebrousser chemin, car
les loups étaient sans cesse en mouvement. En cas
de famine, la meute entière se mettrait à les suivre.
Ils n'attaqueraient pas franchement, mais ils harcèle-
raient la troupe en espérant qu'un jeune ou un
vieux fatigué se détache du groupe. Alors, ce serait
la curée.

Cavale blanche n'éprouvait même pas le besoin
de parler au groupe. Qu'aurait-elle dit ? Tout le
monde connaissait la règle du jeu. Et cela faisait
partie du destin.

Pour l'instant, les hostilités n'étaient pas déclen-
chées, mais il suffirait de voir briller dans la nuit des
lueurs phosphorescentes, se déplacer des formes fol-

lettes, pour connaître l'instant où l'on entrerait dans le danger. Les tactiques, avec les loups, se montraient presque toutes inefficaces. La seule chose à faire était de se rapprocher des régions où ils pourraient trouver de la nourriture plus facile à prendre qu'un apaloosa. Cavale blanche n'avait que cette carte à jouer si jamais la meute devenait trop menaçante : aller vers les régions habitées par les hommes, se rapprocher des fermes où hivernaient les vaches et les veaux. On pouvait espérer que la meute hésiterait à les suivre, et que, si elle le faisait, elle se tournerait vers les enclos des veaux. On courait certes le risque de se faire prendre, mais ce risque était faible. Les fermiers hésitaient à capturer des chevaux sauvages à la mauvaise saison. Il fallait les nourrir tout l'hiver sans même savoir si leur capture en valait la peine.

Sans doute Cavale blanche parlait-elle de tout cela avec Chaman qui ne la quittait plus. Peut-être se disaient-ils d'autres choses encore qui leur restaient secrètes.

*

La neige redoubla soudainement et la troupe peinait à faire la trace dans les accumulations de neige fraîche. Une nuit, Cavale blanche décida de descendre vers le sud où sont les habitations des hommes. Mais cette même nuit, plusieurs apaloosas virent luire les petites lames dansantes qui sont dans le regard des loups. Tout engourdi par le froid, Jeremy qui cherchait le sommeil aux côtés de Pommelle et de Cheval fou les aperçut. Jamais il n'avait ressenti ce qu'un cheval éprouve devant l'apparition de l'ennemi absolu. Il eût préféré l'attaque frontale d'un troupeau de bisons à ces tactiques d'encerclement qui ne cessaient que pour mieux reprendre.

Trois jours et trois nuits, les loups les harcelèrent. Ils restaient à distance, mais faisaient toujours sentir leur présence, disparaissant derrière les collines enneigées pour mieux reparaître, devant, derrière, flairant l'odeur chaude des chevaux. On croisa des empreintes de pattes presque aussi larges que des sabots. Combien pouvaient-ils être ? Autant que les jours que compte une lune, estima Cheval fou. Arrivant un midi au sommet d'une longue pente enneigée, ils virent trois grands loups gris assis qui tranquillement les observaient.

Le froid mordait et éprouvait les organismes. Ils avaient horriblement faim et redoutaient les nuits glaciales. Jeremy rêvait au feu des campements, mais les seuls feux qui brillaient sur la neige étaient ceux que la nuit allumait dans le regard des loups. La meute ne les lâcha plus de jour comme de nuit.

Les chevaux bronchaient, piaffaient, se laissaient aller à des mouvements d'humeur qui retardaient d'autant la progression. Cavale blanche dut leur imposer toute son autorité pour qu'ils ne cèdent pas à la panique qui les eût conduits à se débander. Les loups n'attendaient que cela. Épuisés, ils savaient que la catastrophe était proche. On pouvait toujours espérer que le temps change et que les loups trouvent des forêts bien pourvues en cerfs et en chevreuils, mais autant espérer voir surgir l'été en plein hiver.

Un soir, après une journée passée à tracer la piste dans la neige sous la menace constante, ils trouvèrent un abri facile à défendre, une sorte de défilé entre deux grandes falaises où la meute ne pourrait pas les surprendre. Cavale blanche profita de ce court répit pour parler. Elle dit peu de choses et Jeremy regretta plus tard de n'avoir pas saisi le vrai sens de ses paroles. Elle parla de l'honneur des apaloosas et de leur courage qui consiste à toujours faire face au danger. Elle félicita Chaman qui la secondait avec efficacité, ce qui était pour elle un continuel encouragement dans l'exercice de sa fonction. Elle tenait à le remercier au nom de tous. Sans son grand cœur et sa longue expérience qu'il transmettait depuis des lunes à Cheval fou, jamais ils n'auraient pu se tirer du mauvais piège que leur tendaient les loups. Elle invita tout le monde à profiter de cet endroit, où la meute serait bien en peine de les attaquer, pour reprendre des forces.

Jeremy reprit un peu d'espoir grâce au discours de Cavale blanche. Il connaissait suffisamment son savoir-faire pour se convaincre qu'elle n'avait pas dit des paroles en l'air. La situation n'était pas aussi désespérée qu'il l'avait cru à cause du harcèlement traumatisant exercé par les loups. D'ailleurs on approchait de Cloudy Hills. Il serait facile à la troupe de passer les collines avec Jeremy pour se retrouver sur les terres des fermiers où la meute n'oserait peut-être pas s'aventurer. Rassuré, Jeremy vint mêler la chaleur de son corps à celles de Flamme, Cheval fou et Pommelle et s'accorda le droit au repos absolu. Il entendit encore, dans sa somnolence, le hurlement des loups puis il sombra dans un sommeil qui ne prit fin que sur le matin.

Il se réveilla couvert d'une bonne couche de neige et se sentait revigoré par cette nuit de sommeil ; il

se sentit même d'humeur à hennir
quand il vit les têtes de Cheval fou et
de Pommelle affublées d'une per-
ruque de neige glacée qui leur tom-
bait sur l'encolure. Cavale blanche, elle, était déjà
debout, corps immaculé sur le fond jaunâtre des
parois. Elle était auréolée d'une dignité dure et sauvage que Jeremy ne lui connaissait pas. Cela rayon-
nait de toute sa prestance, de cette façon très noble
de se tenir dans l'adversité. Elle ressemblait à une
statue sortie de la muraille contre laquelle elle semblait s'appuyer, impassible, insensible au froid, à la
neige, aux bourrasques, au jour, à la nuit. Elle était
là depuis la nuit des temps, quand les premiers apaloosas et les premiers loups couraient la prairie,
elle avait ce regard distant qu'ont les statues de
pierre ; sa robe blanche lui donnait la froideur des
corps de marbre.

Jeremy se sentit troublé par le comportement
énigmatique de la jument guide. Elle avait un secret,
un secret qu'elle voulait défendre en se détachant
du groupe et en se rapprochant de la falaise. Elle
était prête à le justifier contre tous, contre ces apaloosas faits de chair et de sang, tandis qu'elle se
savait d'une autre substance. Jeremy chercha à se
libérer du trouble qu'elle lui causait. Il se mit sur ses
pattes, s'ébroua pour enlever la neige de sa robe. Il

chercha Chaman des yeux et ne l'aperçut pas. Alors, d'un seul coup, il comprit le terrifiant secret.

Dans la passe qui conduisait à la prairie, on devinait des traces de sabots à demi mangées par la neige fraîche. Comment Jeremy avait-il été assez bête pour ne pas comprendre ! Il se tourna vers Cavale blanche, prêt à lui jeter à la tête toute sa rage. Odieuse qu'elle était d'avoir accepté le départ de Chaman ! Odieuse d'avoir tenu ce beau discours ! Et Chaman était parti sans rien dire, sans même initier Jeremy au sens de cette cérémonie cruelle. De toutes ses forces Jeremy cherchait à refuser l'évidence, on ne peut pas aller vers la mort comme l'avait fait Chaman. Furieux, il s'avança vers la jument guide, lui lança à la figure ses hennissements de colère, piétina sa hargne, déversa à grands coups d'encolure ses injures envers celle qui avait accepté le départ du vieux sage.

Cavale blanche affronta l'avalanche de colère et d'insultes. Elle ne répondit rien, absolument rien. Ce fut Pommelle qui s'avança près de Jeremy et se mit à lui parler de façon que tout le monde entende :

– Personne n'a poussé Chaman, tu le sais, Jeremy. C'est lui seul qui a décidé. C'était la seule solution pour éloigner les loups et nous laisser le temps de gagner Cloudy Hills. Chaman a estimé qu'il était arrivé au sommet de sa vie. Il n'avait plus rien à apprendre au groupe ; tout ce qu'il savait, il l'a transmis.

Jeremy était effondré.

– Chaman, je l'aimais, sanglotait-il. Parfaitement, je l'aimais. Moi, je n'ai jamais connu mon père, vous comprenez.

– Il t'aimait beaucoup lui aussi. Il voulait absolument que tu reviennes à Cloudy Hills.

Des hurlements montèrent au loin, dans les endroits qu'ils avaient parcourus la veille. Cavale blanche donna l'ordre du départ et ils filèrent dans la direction de Cloudy Hills.

*

Jeremy n'arrivait pas à admettre l'odieuse vérité que tout le monde, depuis le discours de Cavale blanche, connaissait. Chaman s'était sacrifié en pleine lucidité, dans un parfait accord avec la jument guide. Il était parti ruser avec les loups pour les attirer le plus loin possible de la troupe, les fixer dans un lieu pendant qu'ils dévoreraient sa chair. Quelque part dans la prairie blanche, au petit matin, il avait dû s'assurer que la meute l'avait repéré, tenir ensuite, éviter de trébucher, assister à son encerclement, tenir tête encore, ruer au moment

de l'attaque, gagner du temps, sentir
la première morsure carnassière à la
gorge, s'effondrer enfin, la tête remplie d'étoiles de feu, ne plus rien sen-
tir par excès de douleur, assister indifférent à l'en-
gourdissement qui vous enlève à vous-même. Une
nuit rouge vous remplit les yeux.

Longtemps dans la neige glacée resteraient une
carcasse et des taches de sang. Viendrait le printemps, la terre boirait le sang avec la neige, l'herbe
pousserait autour la carcasse. L'œil perçant du
vautour repérerait les os déblanchis d'une tête
chevaline avant de s'en désintéresser. La carcasse
résisterait aux hivers, aux étés, lentement se dislo-
querait sous l'action répétée des débâcles, chassant
les petits rongeurs qui y auraient trouvé abri. Des
lunes encore, une poignée d'os blanchâtres émerge-
rait des herbes. Des oiseaux folâtres viendraient s'y
percher au cours de leurs jeux.

Chapitre 13

On atteignit les premières pentes de Cloudy Hills sans revoir les loups. Une sorte de gravité s'était emparée de la troupe. Tous s'appliquaient à gommer les bruits de sabots, les hennissements, la toux. Les oreilles tournaient, à l'affût des voix redoutées qui pouvaient à tout instant revenir. Parfois, malgré lui, Jeremy se prenait à tendre l'oreille : il croyait entendre la voix de Chaman. Cheval fou était au côté de Cavale blanche. Ils retrouvèrent sans difficulté le meilleur endroit pour passer du côté où les hommes construisent des enclos.

La nuit tombait. Il flottait dans l'air cette humidité triste qui ne sait pas se transformer en neige. Une odeur de lichen pourrissant agressait les narines. Les rochers de Cloudy Hills suintaient, la terre, que la neige ne recouvrait pas partout, ressemblait à un crâne pelé. Les apaloosas se disposèrent en cercle et Cavale blanche demanda à Jeremy cheval de s'avancer au milieu.

– C'est le moment des adieux, dit-elle. Tu dois rentrer chez les bipèdes, mais le chemin sera encore long pour toi. As-tu une requête à faire ?

– Oui, dit Jeremy. Je voudrais que Flamme m'accompagne.

– Accordé, dit Cavale blanche. A condition qu'il nous rejoigne au printemps. Nous serons du côté des Plaines rouges qu'il connaît déjà. Et maintenant, à moi de te demander un serment. Jure devant tous que tu seras toujours bon envers les apaloosas.

– Je le jure, dit Jeremy ému aux larmes. J'ai trouvé chez vous des frères et des sœurs, jamais je ne vous oublierai.

– Te souviens-tu comment tu t'es présenté à nous en cet endroit même ? Tu m'as dit : « Je m'appelle Cheval noir », et nous avons bien ri. A partir d'aujourd'hui, je déclare solennellement, moi, Cavale blanche, que tu mérites ce nom de Cheval noir.

C'est avec ce nom que tu te présente-
ras chez les Sioux Dakotas. Et j'or-
donne que cela soit écrit dans la
neige et dans le vent.

– Vive Cheval noir, crièrent en chœur les apaloosas.

– Et maintenant, passez la montagne, dit Cavale
blanche. Le chemin est encore long pour nous tous.

– Mais vous, s'inquiéta Jeremy.

– Les loups vont et viennent, dit laconiquement
Cavale blanche. Et le printemps est pour bientôt.

Flamme et Cheval noir passèrent les sommets de
Cloudy Hills. La neige était moins abondante de
ce côté-ci des montagnes. L'air humide brouillas-
sait, on ne devinait aucune lumière sur la plaine
morte.

– Nous devons trouver un endroit pour dormir,
dit Cheval noir. Je me rappelle des rochers où l'on
serait à l'abri du vent.

Ils retrouvèrent les rochers disposés en cercle, un
refuge confortable et discret. Croulant de fatigue,
ils s'endormirent l'un contre l'autre.

Quand Cheval noir se réveilla, il vit que Flamme
était déjà debout et observait la plaine en secouant
sa crinière. On devinait au loin, malgré la brume,
le scintillement de deux lumières : la ferme Norton
et celle des parents de Lisbeth. Comme Cheval noir

s'apprêtait à se remettre sur ses sabots, il ressentit une chose étonnante : le sol lui glaçait étrangement les sabots avant. Ensuite, il s'aperçut que sa peau était séparée de son corps. Elle flottait, comme si on l'avait décollée de sa chair. Très vite, il comprit. Des mains avaient pris la place de ses sabots avant, et cette peau flottante était des vêtements d'homme. Il passa sa main sur sa tête, démêla sa tignasse avec ses doigts. Flamme l'observait avec ce pétillement d'intelligence qui posait une sorte de sourire moqueur sur sa bouche. Un immense bonheur inonda Cheval noir à l'idée qu'il pourrait enfin se présenter à sa mère. Il se retourna vers Flamme :

– Est-ce que cela t'ennuierait de devenir ma monture pour quelque temps ?

L'apaloosa prit un long temps de réflexion, renâcla, fit quelques pas, revint, histoire de montrer au bipède qui l'accompagnait que la chose méritait réflexion, et qu'il n'était pas question que Cheval noir oublie son serment d'être bon avec les apaloosas. Grand seigneur, enfin, il hennit en signe d'acquiescement. Alors Cheval noir sauta sur le dos de Flamme pour regagner la ferme Norton. Ils passèrent la rivière à gué et s'engagèrent dans la prairie en direction du ranch.

Arrivé à proximité, Cheval noir mit pied à terre et demanda à Flamme de l'attendre. Il se glissa dans la ferme, rasant les clôtures et prêt à se plaquer au sol à la première apparition humaine. Mais Norton et Cabosse ne se montrèrent pas. Sans doute étaient-ils en train de surveiller le bétail, ou partis à la ville.

Cheval noir se glissa dans la ferme indifférente. Il fila dans sa chambre et en ressortit avec le morceau de couverture que lui avait donné madame Norton quand elle lui avait raconté ses origines.

Il n'eut aucune difficulté à sortir de la ferme, ne vit pas d'autre forme humaine que l'épouvantail du jardin assoupi au soleil. Dans un abri, près des enclos, il récupéra une selle, une bride et un mors. Flamme l'attendait tranquillement en mâchonnant des restes de foin destinés aux vaches.

– Et maintenant, Flamme, dit Cheval noir, allons retrouver ma mère. On passera par les terres habitées par les hommes. On y trouvera nourriture et abri. Tu ne crains rien tant que tu es ma monture.

Un aigle était apparu. Il tournait en criaillant les sons étranges qu'émettent les rapaces, invitant la prairie entière à observer l'harmonie parfaite formée par le cheval et l'homme qui le montait.

Épilogue

Du village sioux situé auprès de la rivière Ashuamushan, on gagnait facilement le sommet plat d'une colline entaillée en son milieu par un étroit canyon. Le Sioux Dakota Cheval noir grimpait par un sentier de chèvre en tirant son très jeune garçon par la main. Parvenu au sommet, il se mit à énumérer à son enfant ce qu'on apercevait au loin, la rivière Ashuamushan, les campements des Dakotas, les grands herbages où se tenaient les bisons. Ils s'allongèrent sur le bord du canyon et l'enfant se mit à crier dans le précipice pour entendre sonner l'écho. Puis ils se relevèrent et firent

face à la grande prairie en respirant
le vent.

C'est l'enfant qui le vit le premier. De
l'autre côté du canyon déboucha au
sommet la tête, suivie de l'encolure, puis du corps
tout frêle d'un poulain sauvage. Cheval noir le vit à
son tour et se demanda comment ce jeune apaloosa
avait bien pu grimper tout seul jusqu'ici. Le poulain
aperçut les deux Sioux, hennit, se lança dans des
cabrioles de plaisir pour les saluer à sa façon. Parut
une autre tête suivie d'une autre encolure. La mère
apaloosa rejoignait son petit. Sa crinière rouge
empanachait une robe pie, faite de blanc maculé
par de somptueuses taches aubères. Quand elle vit
les deux Sioux, elle marqua un temps d'hésitation.
Cheval noir s'approcha lentement du précipice
pour examiner la jument. Il ne lui fallut pas longtemps pour la reconnaître. Une immense joie l'en-
vahit en même temps que lui revenaient à l'esprit
toutes ces longues journées de bonheur, quand il
communiquait avec Pie rouge dans la langue intérieure des apaloosas. Mais il ne lui restait plus, de
ces temps bénis, que le désir muet — ce rêve très
beau et très douloureux — que s'efface le gouffre
qui les séparait.

Cheval noir prononça doucement le nom de sa
sœur cheval, et Pie rouge, comme si elle l'avait reçu

dans son intérieur, se mit à encenser.
Ensuite elle s'engagea dans un trot
de manège, pour la plus grande joie
de son petit qui gambadait derrière
elle. Cheval noir attrapa son enfant et le fit grimper
sur ses épaules, et se mit à trotter lui aussi, et
l'enfant tout heureux lança des rires en cascade.
Combien de temps s'amusèrent-ils ainsi, chacun de
son côté du canyon ? Nul n'aurait su le dire, pas
même l'aigle, là-haut, caché dans le soleil. Les apaloosas pas plus que les Sioux ne sont avares de leur
temps.

Arriva le moment où Pie rouge se cabra en
remuant joyeusement ses deux antérieures. Cheval
noir porta ses deux mains à sa bouche pour la
saluer à longs cris flûtés. Et Pie rouge se lança dans
la descente, suivie de son petit encore maladroit sur
ses pattes.

Cheval noir s'assit avec son enfant et se mit en
attente. Pie rouge et son poulain reparurent en bas,
dans la plaine. Ils se lancèrent au grand galop dans
la prairie pendant que Cheval noir, l'enfant sur ses
épaules, hurlait dans le canyon le nom de son amie
Pie rouge pour que la montagne le lui porte en écho.

L'auteur

Né en 1941, **Pierre-Marie Beaude**
a passé sa jeunesse à Cherbourg puis a suivi
des études supérieures en France et en Italie.
Spécialiste du judaïsme ancien et des origines
du christianisme, il enseigne à l'université de
Metz et au Canada. Il connaît le grec, le latin,
l'hébreu, l'araméen et pratique l'allemand,
l'anglais et l'italien. Ses études l'ont conduit dans
les pays du Proche-Orient, mais il a aussi voyagé
en Afrique noire, au Maghreb, dans le Sahara,
et se plaît particulièrement parmi les ours et les
loups du Canada sauvage. Ses romans reflètent
sa passion pour les grands espaces et sa connaissance des cultures anciennes. Les héros qu'il fait
vivre sont des nomades qui cherchent la juste
façon d'habiter le monde.

L'illustrateur

Gianni De Conno est né en 1957 à Milan,
où il vit toujours. Après des études d'art,
il se spécialise dans la scénographie et le film
d'animation à l'École de cinéma de Milan.
Parallèlement, il réalise déjà des couvertures
de livre et collabore à plusieurs revues.
Mais ce n'est qu'en 1997 qu'il se consacre plus
particulièrement à l'édition jeunesse. Depuis,
il a illustré une trentaine d'ouvrages, édités
par de prestigieuses maisons italiennes, anglaises
et françaises. Il a aussi codirigé pendant huit
années l'Association des illustrateurs italiens.
Ses créations ont été couronnées de très
nombreux prix, italiens et internationaux.

Du même auteur

Romans jeunesse

LA MAISON DES LOINTAINS, *Gallimard Jeunesse / Scripto*
CŒUR DE LOUVE, *Gallimard Jeunesse / Folio Junior*
OCRE, *Gallimard Jeunesse / Folio Junior*
(avec *La Statuette de jade*, de J.-P. Arrou-Vignod)
ISSA, ENFANT DES SABLES, *Gallimard Jeunesse / Folio Junior*
(Grand prix 1996 du comité français pour l'Unicef)
LE MUET DU ROI SALOMON,
Gallimard Jeunesse / Page Blanche
LE SIGNE DE L'ALBATROS, *Flammarion / Castor Poche*
FLORA, L'INCONNUE DE L'ESPACE,
Flammarion / Castor Poche

Albums

LE LIVRE DE MOÏSE, illustré par Georges Lemoine,
Centurion
LE LIVRE DE JONAS, illustré par Georges Lemoine,
Centurion (Grand prix des Treize, 1990)
LE LIVRE DE LA CRÉATION, illustré par Georges Lemoine,
Centurion (Grand prix graphique 1988 de la Foire
internationale de Bologne)

Romans et récits

SIMPLES PORTRAITS AU FIL DU TEMPS, *Desclée de Brouwer*
MARIE, LA PASSANTE, *Desclée de Brouwer*
LE VEILLEUR DE CIBRIS, *Desclée de Brouwer*

Essais

LA PASSION DES PREMIERS CHRÉTIENS, *Gallimard / Texto*
PREMIERS CHRÉTIENS, PREMIERS MARTYRS,
Gallimard / Découvertes

Dans la même collection

FIN AOÛT, DÉBUT SEPTEMBRE,
Jean-Paul Nozière / N° 1
On n'est pas libre de sa vie quand on a quatorze ans.
Cet été-là, Hicham, Pauline et Thomas,
amis depuis l'enfance, se retrouvent peut-être
pour la dernière fois. Refusant la fatalité,
ils se lancent un défi : descendre en canoë un bras
de rivière encore inexploré. S'ils réussissent,
c'est qu'ils se reverront. Mais s'ils échouent…

*L'aventure et l'amitié peuvent-elles suffire
à renverser le cours du destin ? Une fin d'été
qui est aussi une fin d'enfance.*

MARIE-BANLIEUE, Martine Delerm / N° 2
Pas facile, à onze ans, de quitter la banlieue
pour un village de Normandie. Rêveuse et solitaire,
Marie se confie à son journal intime et cherche
sa place dans la nouvelle vie qui est la sienne.
Lorsque son professeur de français l'inscrit
à un concours de nouvelles, Marie hésite…
puis se lance. Après tout, qu'a-t-elle à perdre ?

*Une histoire simple et poétique, où l'amour
de l'écriture peut conduire à la découverte
de soi et des autres.*

Dans la même collection

RAPT A BRANCHECOURT, Yves Hughes / N° 3
Rien ne va plus chez le seigneur de Branchecourt :
on a enlevé sa fille unique Ludivine ! Seul Messire
Hugues de Flérimont, le chevalier errant, peut
la retrouver. Son joker ? Le jeune page Millefeuille
et son irrésistible maladresse. Juché sur Petit-Pet,
son fidèle destrier, voilà notre apprenti détective
lancé sur la piste semée d'embûches de ce drôle
de rapt à Branchecourt...

Pour les amateurs de mystère et d'humour,
une plongée au cœur du Moyen Age à vous
couper le souffle... de rire.

ROCAMBOLE ET LE SPECTRE
DE KERLOVEN, Michel Honaker / N° 4
Paris, au XIXe siècle. Fauvette, la jeune orpheline,
est-elle la fille de l'infâme Sir Williams, maître
incontesté du crime ? Lorsqu'il enlève la fillette,
un seul homme peut la sauver : le mythique
Rocambole, ancien voleur et génie
du déguisement. Au château de Kerloven,
la lutte s'engage avec Sir Williams et sa secte
d'assassins, prêts à tout pour reprendre Fauvette...

Vous avez dit rocambolesque ? Entre Arsène Lupin
et Fantômas, le premier épisode d'une série où le
fantastique le dispute à l'aventure la plus échevelée.

J'AI PENSÉ A VOUS TOUS LES JOURS,
Loupérigot / N° 5

Cédric est un enfant de la DDASS. Abandonné par sa mère à la naissance, il n'a connu que la solitude des foyers et des familles d'accueil. Jusqu'au jour où il découvre qu'il a un frère, Adrien, élevé dans les beaux quartiers... Entre ces deux garçons que tout semble séparer, la rencontre est explosive. Surtout lorsqu'ils décident de fuguer ensemble pour retrouver leur mère disparue.

Peut-on choisir sa famille ? Un roman grave et fort sur la séparation.

DE L'AUTRE CÔTÉ DU CIEL,
Évelyne Brisou-Pellen / N° 6

Quand Moï et Reuben quittent le peuple du Centre du Monde, ils ignorent tout des dangers qui les attendent. Leur mission : rapporter du bout de la terre le coquillage sacré qui fera de Moï le nouveau chef de sa tribu... Mais dans ce monde des premiers âges, le chemin est long, plein d'inconnu et de pièges qu'il leur faudra déjouer s'ils veulent survivre.

Comment les hommes de la préhistoire imaginaient-ils l'univers ? Par l'auteur des aventures de Garin Troussebœuf, une quête haletante où magie et réalité s'affrontent.

POIDS PLUME, Nicky Singer / N° 9
Tout le monde connaît un Rick Patter.
C'est ce garçon qui n'est jamais choisi
quand on fait les équipes, celui qui n'a jamais
de voisin pendant les cours... Alors Rick
est le premier surpris lorsqu'une vieille dame
étrange le désigne pour percer le mystère
d'une demeure à l'abandon. Pour connaître
la vérité, le souffre-douleur du collège devra
apprendre à voler de ses propres ailes.

*Une rencontre peut-elle changer votre vie
à jamais ? La réponse émouvante et drôle
d'un garçon pas comme les autres.*

GUERRE SECRÈTE A VERSAILLES,
Arthur Ténor / N° 10
A quinze ans, Jean veut devenir mousquetaire,
mais sera page à Versailles et servira les grands.
Fini les rêves d'aventure ? Pas si sûr, car la Cour
du Roi-Soleil recèle des pièges sans nombre.
Très vite, le jeune provincial s'y fait un ennemi
mortel, François de Champin-Belcourt, petit noble
arrogant et sans scrupules. Avec la complicité
de la jolie Prunelle, Jean va devoir rendre coup
pour coup s'il veut sauver son honneur... et sa tête.

*Un voyage insolite et palpitant dans les coulisses
de Versailles au temps de Louis XIV.*

Dans la même collection

CACHE-CACHE MORTEL,
Michel Grimaud / N° 12
« Quand tu es seul, n'ouvre à personne ! »
Jérémie connaît la chanson par cœur. Mais que
faire lorsqu'un inconnu blessé entre en pleine nuit
dans la maison et réclame de l'aide ? Que la
police le recherche ? Qu'une bande d'assassins,
surtout, est lancée à ses trousses, bien décidée à
lui faire la peau ? Pour s'en sortir, Jérémie et son
mystérieux visiteur vont devoir jouer serré. Un
seul faux pas, et la partie de cache-cache risque
bien d'être mortelle…

Entre suspense policier et intrigue familiale,
une histoire trépidante et tendre à la fois.

Imprimé en Italie
par LegoPrint.

PAO Belle Page

Dépôt légal : avril 2003
N° d'édition : 120198
ISBN 2-07-053853-2
Loi n° 49-956 du 16 juillet 1949
sur les publications destinées
à la jeunesse